Le Guide pratique des élégantes

Hélène Pâquet

Le Guide pratique des élégantes

● ● ● ● ● ●

Table des matières

Avant-propos

On a tout dit de l'élégance. Qu'elle se meurt, qu'elle n'est plus ce qu'elle était, qu'elle n'existe plus. Avant de me lancer dans l'écriture de cet ouvrage, je me suis longtemps posée la question, moi aussi, sur ce que c'était que d'avoir du style de nos jours. Il faut dire que l'époque s'y prête. Le millénaire que nous nous apprêtons à entamer nous fait en effet tout remettre en question. Nos manières d'être et de penser autant que nos façons de choisir nos vêtements et de nous habiller. Le style est aujourd'hui quelque chose de tellement pointu et de tellement individuel, que personne, moi comprise, ne peut prétendre être parvenu à en percer les secrets. C'est une affaire d'âme et d'état d'esprit bien plus que de fringues et d'accessoires. Il y a des femmes qui savent s'habiller avec un rien, d'autres qui, même en hypothéquant leur condo, continueront toute leur vie de se vêtir en dépit du bon sens.

Le Guide pratique des élégantes, c'est donc une clé qui n'a pour seule prétention que de donner des pistes, des avenues, de tracer quelques balises et de fournir à toutes, des ingrédients aptes à les inspirer. C'est un outil que j'aimerais pratique pour contrer vos pannes d'imagination. C'est aussi un petit guide qui vous aidera, je l'espère, à faire de bons achats, à repérer rapidement les vêtements de qualité et à écarter ceux qui ne méritent pas que vous dépensiez votre argent si durement gagné.

Les informations que j'ai regroupées dans ce livre proviennent d'une multitude de sources. Au fil des ans, j'ai recueilli nombre d'entre elles dans le cadre de mon travail pour divers magazines, dont *Coup de pouce, L'Essentiel* et *Clin d'œil.* J'ai aussi eu recours à des gens de l'industrie et du commerce au détail, à mes expériences personnelles et aux compétences de quelques coordonnatrices de mode, dont j'ai pu observer le travail et, puisqu'il faut bien être XXIe siècle, à Internet.

Je tiens donc à remercier toutes ces personnes auprès de qui, sans m'être livrée à des entrevues formelles, j'ai appris plusieurs petits secrets qui, je l'espère, vous aideront autant que moi à ne plus vous gratter le crâne chaque matin devant votre placard.

Bonne lecture!

Hélène Pâquet

LÉGENDE DES PICTOGRAMMES

Les différentes sections de ce livre sont émaillées de pictogrammes.

 indique une information utile, un renseignement bon à savoir.

 une bonne idée ou une suggestion à mettre en pratique.

 plaira à toutes celles qui veulent en avoir pour leur argent.

 ouvrez l'œil: voilà ce qu'il faut prendre en considération avant d'acheter.

 donne de bonnes idées pour coordonner vos vêtements.

 indique les associations boiteuses qu'il faudrait éviter.

1.

Le tailleur

Ce que *toute femme* devrait savoir sur son *meilleur ami*

À celui-là, on demande beaucoup. On voudrait qu'il soit sobre et discret, qu'il nous mette en valeur mais avec retenue, qu'il soit toujours impeccable, classique, et en même temps différent des autres. À croire que la chasse au tailleur parfait est aussi utopique que la quête de l'homme idéal!

L'ensemble jupe et veste fait partie de la garde-robe des femmes depuis un siècle, pas moins. Nos aïeules l'ont adopté en même temps qu'elles prirent le chemin des bureaux et des usines de guerre. Et depuis ce temps, il se classe parmi les premiers au palmarès des indispensables dont on a besoin pour aller gagner sa croûte.

Je me souviens qu'enfant, je trouvais splendides les tailleurs des stars d'Hollywood. Les vestes de Joan Crawford, les beaux ensembles ajustés de Tipi Hedren dans Les Oiseaux d'Hitchcock (Quelle classe elle avait! Même les oiseaux n'arrivaient pas à la décoiffer, mais ça, c'est une autre histoire...). À la même époque — c'était dans les années 60 d'avant les hippies —, je me souviens qu'après les funérailles de Kennedy, toutes les femmes, ma mère comprise, cherchaient à copier le style de sa jeune veuve, adoptant ses vestes carrées à manches trois-quarts, son petit sac-boîte et sa jupe droite.

Peu après, le tailleur a pris le chemin des housses remplies de boule à mites avec l'époque Mary Quant, Cardin, hot pants, manteau maxi et tout le reste. Pendant tout ce temps, seule la reine Elisabeth — et quelques vieilles grenouilles de bénitier — l'ont conservé. On ne le revit plus que dans les années 70, à l'aube de l'apparition des yuppies. Aujourd'hui, quiconque n'a pas un tailleur ou au moins une veste doit avoir de sérieux problèmes d'inspiration en ouvrant les yeux le matin!

Le tailleur est devenu l'équivalent féminin du complet. Comme ces messieurs ne font à peu près jamais de crises existentielles devant leur placard ouvert avant d'aller travailler, il n'y a aucune raison pour que nous ne puissions en faire autant.

Au lieu de consacrer ce chapitre au tailleur comme un tout, j'ai choisi de passer ses composantes en revue une à une. Car le tailleur dont les deux pièces sont condamnées à vivre ensemble pour l'éternité se choisit de la même façon que ses composantes séparées. De toute façon, les magasins sont de plus en plus nombreux à privilégier l'achat «à la pièce» et à proposer plus d'une solution de rechange à la petite jupe droite.

L'idéal, pour étirer vos dollars au maximum, c'est de pouvoir compter sur deux ou trois vestes par saison et de pouvoir y associer autant de jupes que de pantalons. En tout, huit ou neuf morceaux interchangeables nous font une garde-robe professionnelle tout ce qu'il y a de respectable. Cela nous donne, si on a trois jupes, trois vestes et trois pantalons, pas loin d'une vingtaine de combinaisons possibles (les fortes en maths corrigeront), sans compter les fois où jupes et pantalons laisseront tomber la veste pour préférer une chemise et un gilet, un pull ou un twin-set (cardigan + pull) et ainsi de suite.

COMMENT S'ASSURER DES MARIAGES RÉUSSIS

On ne peut pas, vous le savez, marier n'importe quel style de veste avec n'importe quel genre de pantalon.

Pour des associations réussies, règle numéro un: les contraires s'attirent.

Il y a bien quelques exceptions à cette règle, du moins si on se fie aux récentes tendances de la mode. Mais comme seules les mannequins... ont une taille de mannequin, laissons donc l'ultra-moulant de la tête aux pieds à sa place, sur les passerelles des défilés.

▶ L'ajusté fait bon ménage avec ce qui est ample. Veste ample et carrée avec pantalon et pull ajusté; veste courte ajustée avec *palazzo* ou jupe ample.

▶ Côté longueur, même principe: une veste longue sur une jupe longue ne va à personne... sauf aux femmes qui font plus de 1 m 80. Préférez un pantalon droit ou moulant ou alors une jupe courte. Si votre jupe est longue, la veste courte est toujours une meilleure alliée... et vice versa.

Voyons maintenant les pièces qui composent le tailleur.

LA VESTE

C'est la base de votre garde-robe de tous les jours. Si on vous dit de ne rien ménager quand vient le temps d'acheter un matelas parce que vous passerez le tiers de votre vie à dormir, on pourrait presque en dire autant pour la veste, que vous porterez — et je n'exagère pas — plusieurs centaines d'heures dans une même année.

5 types de vestes à connaître

▶ **Le blazer à boutonnage central,** quelques boutons aux manches. Poches passepoilées en version chic, poches plaquées en version sport. On le croit droit, mais on a tort. Il est cintré en douce pour s'adapter aux formes féminines. Autrement, vous auriez l'air de porter la veste de votre *chum* (celles qui le font, d'ailleurs, ne se sont sûrement pas regardées longtemps dans un miroir!)

Notre blazer s'entend avec tout ce qui est sport et plutôt sage, comme lui: pantalon cigarette ou à plis, jupe droite. En molleton de laine, il adore le jean. Plus il est court, plus la jupe qui ira avec peut être longue.

▶ **La veste à double boutonnage** (qu'on connaît malheureusement mieux sous le nom de *double breast* ou de veston croisé) convient aux grandes et aux plus minces, surtout si elle est longue. Poitrines fortes ou petit ventre rond, pour votre salut, vous abstenir.

En version longue, on l'a longtemps portée sur un *legging,* mais elle s'associe aujourd'hui beaucoup plus souvent aux jupes longues et droites, aux pantalons de tous les styles et même au jean. Évitez de la coupler à une jupe plissée, qui plissera encore davantage quand vous la boutonnerez. Gare aussi au double boutonnage qui serre sur les hanches.

▶ **Le spencer.** Cette petite veste courte, ajustée ou non, s'arrêtant à la taille ou à la naissance des hanches, a déjà été surnommée «veste de butler» par je ne sais plus quel gourou du chic. Avouons que le voir sur un homme donne envie de se tenir les côtes... Mais porté par une femme, il peut avoir un certain charme.

Le spencer aime les pantalons larges, les tissus fluides et les jupes courtes. Il perd son chic avec un pantalon trop ajusté, une jupe longue et tout ce qui plisse à la taille. Cauchemar des poitrines fortes, le spencer vous fera une superbe silhouette si vous avez de bonnes épaules et une forte stature et si, en plus, vous l'enfilez sur un pull, une jupe et un collant de même couleur.

Une idée: un spencer en lainage sable sur un joli fond noir (jupe et col roulé), avec des boucles d'oreilles dorées pour finir. Attention aux modèles imprimés ou chargés de dorures. Ils donnent un air de tambour major... ou de figurante dans un *soap* américain.

▶ **La veste ajustée.** Avec ses découpes princesse, c'est une bonne fée sur qui on peut compter pour effacer ses rondeurs, pour allonger la silhouette et, si on la porte avec une jupe courte, pour aspirer à ce petit air Demi Moore dont on rêve toutes.

Toutefois, il y a veste ajustée et veste ajustée. Un tel vêtement peut facilement tomber dans le kitsch, on l'a vu à Dynasty il y a quelques années. La meilleure chose à faire est d'opter pour le classique — dans le sens simplicité et dépouillement — et de ne pas lésiner sur la qualité du tissu. La plus belle coupe du monde ne peut rien contre un méchant petit mélange coton et rayonne.

La veste ajustée qui tombe sur les hanches allonge le corps, mais écrase la silhouette, surtout si elle est de couleur plus vive ou plus foncée que ce que l'on porte en bas. Pourquoi? Parce que les couleurs vives ou sombres sont toujours plus fortes que les neutres ou que les couleurs claires.

Si vous êtes petite, préférez la veste semi-ajustée ou le spencer. Évitez la veste longue et ne portez que des modèles coupés spécialement pour les petites.

Les silhouettes trapues seront à leur mieux en associant leur veste à des éléments de même couleur (chaussures + collant + jupe, ou pantalon). Le résultat: un look monochrome hyper-allongeant.

▶ **La veste droite.** Pas vraiment pour tout le monde, celle-là... et pourtant, on l'a dit au début, à l'apogée du look Jackie Kennedy, tout le monde en avait une, en version courte. C'est la veste carrée et ample que peuvent porter comme un charme les belles plantes longues et fines, mais qui prend l'air d'une tente sur les petites et les plus enveloppées.

Question silhouette et proportions, on l'enfile sur des vêtements ajustés (les contraires s'attirent, n'est-il pas vrai?): jean étroit, pantalon cigarette, duo legging et pull pour les week-ends ou jupe fine et courte.

La bonne veste en cinq points

1 Elle est doublée en entier. Une veste semi-doublée ou non doublée n'est bonne à rien. Cette doublure est bien assemblée et offre de l'aisance à l'ourlet et aux poignets.

2 Côté confection, elle est irréprochable. En boutique, regardez-vous dans un miroir: les revers du col sont parfaitement symétriques, les passepoils (ce sont les petits cordons du contour des poches) sont droits et bien faits, les boutonnières aussi. Les manches sont au moins 3 cm de la naissance du pouce. S'il y a des fentes au bout des manches, elles sont bien finies et boutonnées.

3 Elle comporte des poches. Sinon, où mettrez-vous vos clefs, vos cartes professionnelles ou vos billets d'autobus quand vous êtes pressée? Entre vos dents?

4 Elle est épaulée. Pas à la Joan Collins, mais juste assez pour bien se tenir sur un cintre et pour vous donner une belle carrure. Les épaulettes sont bien cousues sous la doublure et ne risquent pas d'aller se balader partout dans vos manches en pleine réunion avec des clients.

5 Enfin, elle est simple. Cela vous évitera de devenir «la femme à la veste rouge avec des arabesques noir et or».

La veste qui parle

Dans le langage des affaires, le tailleur et ses accessoires font la femme. Quelques codes de ce langage sous-entendu:

▶ Les épaulettes expriment la rigidité, l'autorité. Mais attention. Ce n'est pas une raison pour vous habiller en footballeur si vous décrochez une promotion.

▶ Les tissus fluides ont une connotation créative — mélanges viscose-polyester, soie et lin, cotonnades — alors que les tissus plus rigides expriment la rigueur et la sévérité.

▶ Les couleurs vives attirent l'attention, le rouge en tête, comme le savent toutes celles qui travaillent dans la vente ou qui sont souvent appelées à parler en public. Le rouge est d'ailleurs la couleur numéro un pour faire belle figure à la télé.

▶ On dit que le brun peut faire obstacle à la conclusion d'accords et de contrats. Je n'ai jamais vérifié, mais chose certaine, vêtue de brun, vous serez toujours celle dont on oublie le nom.

LA JUPE

On pourrait discuter pendant des lunes de la longueur des ourlets et de ce qui est à la mode ou ne l'est pas. Pensez-y un moment: au cours des 10 dernières années, combien de fois vous a-t-on annoncé le «retour du long» pour ensuite, six mois plus tard, décréter que «le court est de retour»? Conclusion: portez la longueur qui vous plaît. Si vous êtes vraiment indécise, optez pour le statu quo, avec la jupe droite à 2,5 ou 5 cm (un ou deux pouces) au-dessus du genou. Voilà qui vous armera contre toutes les volte-face des créateurs de mode!

Vous ne choisissez que l'indispensable? Voici un trio gagnant.

1 **La jupe droite noire en tricot ou en lainage léger,** que vous pouvez porter dix mois sur douze et même en été, sauf les jours de canicule. C'est ce que vous porterez en haut qui fera la différence!

En automne et en hiver, portez-la avec un *twin-set* (cardigan + pull), avec une veste unie et une autre imprimée, un pull chic à paillettes, en lurex ou brillants pour le soir, avec un bustier sous une veste. Si elle est en tricot, essayez-la avec un T-shirt de couleur et une surchemise en jean pour être plus décontractée...

Au printemps et jusqu'en début d'été, elle ira avec une veste ivoire, coquille d'œuf ou rose, avec une tunique ou un T-shirt de soie, avec un haut kimono en tissu léger, avec un corsage noir et une surchemise de couleur, avec une grande chemise imprimée ouverte sur un corsage moulant.

Quelles chaussures?

Une jupe droite s'accommode de presque tous les types de chaussures. Tout dépend du style qu'on lui donne. Toutefois, pour des raisons esthétiques évidentes, on évite les bottines et tout ce qui casse la silhouette à la cheville. Plus courte est la jupe, plus bas est le talon. À moins de vouloir se faire conter fleurette au bureau, on devrait éviter les talons de plus de 5 cm (2 pouces) avec une jupe courte.

2 **La jupe longue en coton pour l'été.** Imprimée ou unie, pourvu qu'elle soit légère. Boutonnée à l'avant, fendue (plus la jambe est belle, plus on la montre) ou portefeuille, c'est celle que vous aimerez porter les jours de canicule, parce que sa fluidité a quelque chose de rafraîchissant. Choisissez-la plus droite si vous êtes ronde et si vous êtes plutôt mince, optez pour la jupe plissée, en chiffon fleuri par exemple (en rayonne, elle ne coûte presque rien et durera le temps d'un été). Les petites et les silhouettes délicates devraient s'en tenir à la jupe courte. Elles risquent en effet de disparaître, noyée sous les mètres de tissu d'une grande jupe.

Portez-la avec un débardeur ou un bain-de-soleil, après la plage avec votre maillot en guise de corsage, avec un T-shirt et une chemise en guise de veste ou avec un petit corsage en tricot de coton pas cher déniché dans les magasins d'escompte.

Quelles chaussures?

Préférez ce qui est plus massif. Sandales, babouches, mules, chausssures montantes ou bottines, escarpins à gros talons carrés, espadrilles à semelle bien épaisse. Les escarpins fins n'ont aucun rapport.

3 **La jupe «sport».** À plis ou droite, en lainage, en bouclé, en tweed, en tricot, comme vous voudrez, celle-là est un dépanneur que vous aimerez avoir en deux exemplaires, un pour l'été, un pour l'hiver. Personnellement, je l'aime à mi-mollet et en tricot fin pour les mois d'hiver et en tissu plus léger, longue et fendue, pour l'été. Les jours de froidure, on enfile dessous un gros collant, on lace ses bottines, on lui ajoute un twin-set ou un pull de même couleur et une veste imitation cachemire et on peut être impeccable même par -20 °C. L'été, un cache-cœur, un T-shirt pas cher sous une chemise à manches roulées, un débardeur et on est prête.

Bref, la jupe «sport», c'est la jupe facile qu'on aime enfiler avec des flâneurs, pour le souper entre amis ou le *friday wear.* C'est celle qui vous fait vous sentir belle et féminine même seule assise devant la télé.

Quelles chaussures?

L'hiver, votre jupe s'accorde le plus souvent à un collant opaque. Allez-y donc avec du cuir bien épais et des chaussures sport. Derbys, flâneurs, bottines si la jupe est longue, nubuck, couleurs chaudes, quincaillerie façon cuivre. Pensez à un gros fauteuil anglais en cuir brique et vous y êtes. Enfin, vous le verrez vous-même à l'essayage, une chaussure fine dans un gros collant, ça n'a pas de sens. L'été, tous les coups sont permis, sauf les chaussures de sport. Laissez cela aux Américaines, elles ont l'air de beaucoup aimer.

D'autres jupes qui méritent votre attention

▶ Un petit kilt sage et chic avec sa belle épingle. Les carreaux sont aussi de ces choses dont on dit qu'ils reviennent tous les 18 mois. La jupe à carreaux est donc un placement solide!
▶ Une jupe ligne A courte pour faire jeune. Si on a les jambes, bien sûr...
▶ Une jupe à plis, façon écolière, pas trop longue pour ne pas faire vieille fille.

Silhouettes et profils

La jupe droite qui va à tout le monde et la taille plissée qui grossit, tout le monde connaît. Mais quoi d'autre?

▶ La jupe courte et galbée allonge la jambe. Sur le genou, comme on a essayé de nous l'imposer il y a quelques saisons, elle casse épouvantablement la silhouette. Un désastre pour tout le monde, mannequins comprises.

▶ La ligne A, le tissu ondoyant, c'est féminin et c'est parfait... sauf si on a les hanches fortes, car elle les double. Pire encore: la jupe patineuse à grosses fleurs sur des fesses dodues. Hallucinant.

▶ Les jupes fluides et longues sont un refuge élégant pour les cuisses fortes. Si on a en plus la taille fine, c'est merveilleux: on enlace notre grande jupe à plis boutonnée d'un belle ceinture de cuir.

▶ Vous avez les fesses plates et la chute de rein inexistante? Osez la jupe extramoulante sur le corsage blousant. Recherchez le coton additionné de spandex. Miraculeux.

▶ Jambes trop courtes? Jouez avec la couleur. Jupe droite, collant et chaussures de même couleur. En noir, vos jambes n'en finiront plus. Associez tout ça à une veste courte d'une autre couleur et l'illusion sera parfaite. Évitez absolument le long (grand pull, redingote) sur une veste courte.

▶ Le ventre disparaît comme par magie avec une jupe sans bande de taille à plis-pinces surpiqués. Même chose pour les tailles un peu enrobées, qui ne résistent pas longtemps aux jupes à ceintures fines. Si c'est votre cas, oubliez les paréos et tous ces trucs avec des nœuds et des cordons coulissants.

LE PANTALON

Celui-là nous pose beaucoup moins de problèmes. Il est droit, cigarette ou *palazzo*. Savoir choisir est autant affaire de circonstance et d'occasion que de silhouette.

Le pantalon droit

C'est le classique qui bravera toutes les modes. On a beau ressortir le pantalon capri, les pattes d'éléphant et *tutti quanti,* avec lui, vous avez l'esprit tranquille... trop tranquille peut-être. Car s'il est indémodable, il peut aussi être ennuyant comme la pluie, aux antipodes du sexy et en dehors du bureau, il peut avoir l'air trop sérieux, timide et effacé.

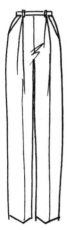

Bon à savoir avant de choisir un pantalon droit
▶ Les plis creux sur le ventre rond sont désastreux. À moins de choisir un pantalon deux tailles au-dessus, mais ce n'est pas dit non plus que ça vous ira. Soyez rusée: choisissez des plis plats surpiqués.

▶ Pensez pratique et, puisque c'est le plus «utilitaire» de vos pantalons, choisissez-le dans un tissu et d'une couleur sur laquelle une tache ne se changera pas en catastrophe.

▶ Classez la polyvàlence en tête de liste de vos priorités. À ce chapitre, la laine fraîcheur ou les mélanges à base de viscose sont de bonnes options. Choisissez la couleur en fonction des vestes que vous avez et des autres vêtements de votre garde-robe.

▶ Privilégiez les tons neutres, mais pensez aussi aux rayures tennis (les fameux *pinstripe)* et au plaid, qui sont parfaits avec une veste unie. Gardez les imprimés pour le grand *palazzo* d'été.

Quelles chaussures?

Escarpins à talon moyen de forme carrée, sandale plateforme, flâneur à talon moyen, bottine, bottillon zippé, lacé ou bottes chic. Évitez les talons plats si la jambe du pantalon est large. Vos pieds disparaîtront.

Le pantalon cigarette

Il galbe les jambes, moule plus ou moins les fesses. Il peut être sexy avec un pull court ou très sérieux sous une veste longue. C'est aussi le nouveau favori au rayon tailleur-pantalon. Il est jeune, pratique et peut être porté tant au bureau que pour sortir le samedi soir, selon le tissu dans lequel il est coupé.

Bon à savoir avant de choisir un pantalon cigarette:

▶ Assurez-vous que cela convienne à votre silhouette. Le pantalon cigarette, c'est la planche de salut des silhouettes endomorphes, c'est-à-dire de celles qui sont plus fortes du haut du corps (épaules, poitrines, taille, abdomen) et ont quand même les jambes et les hanches bien fines.

▶ Si vous avez les hanches fortes, essayez-le avec une veste longue. Il vous allongera la jambe avec une chaussure de même couleur. Avis aux courtes et aux petites. De même, si vous avez les jambes arquées ou très maigres, mieux vaut vous tourner vers un pantalon à jambes plus larges.

▶ Un pantalon cigarette digne de ce nom ne devrait pas descendre plus bas que l'os de la cheville.

▶ Préférez les tissus légers: mélange de viscose, lainage fin. Également, les nouveaux polyesters, le velours stretch, les synthétiques dernier cri, c'est le confort plus que parfait.

Quelles chaussures?

Pantalon fin égale chaussures fines! Sandales à brides, mules effilées, belles italiennes en cuir lisse, bottillon chic, escarpins à talon effilé (mais pas trop, pour éviter l'allure suivez-moi-jeune-homme). Pas de grosses chaussures qui font la jambe «bâton de golf».

Le *palazzo*

Chic, fluide, c'est le premier pantalon porté par des femmes et c'est Chanel elle-même qui l'a enfilé la première pour aller à la plage. Aujourd'hui, c'est le favori des jambes trop rondes, trop maigres ou arquées, c'est le pantalon des créatives et de celles qui veulent du confort. En tissu satiné ou chatoyant, il aime les cocktails, les salons et la société. Plus sobre, il fait merveille au bureau. En mousseline, en voile de coton ou en rayonne, il s'enfile comme un charme sur le maillot de bain pour passer prendre un verre au bord de la piscine.

Bon à savoir avant de choisir un *palazzo*

▶ Le tissu qui le compose doit impérativement être souple et léger. Par nature, un *palazzo* bouge et ondoie. Mélange de viscose, cotonnade, voile, mélange de rayonne et ainsi de suite.

▶ Le *palazzo* avantage les dodues, mais fait l'inverse sur les silhouettes petites et menues, qui s'y noieront. Sur une grande mince, il peut aussi avoir un curieux effet «rideau».

▶ Pour une silhouette bien équilibrée, on l'accorde toujours à un haut ajusté. Une suggestion: si le haut du corps est plus fort, préférez le pantalon droit.

▶ Plus large, il fait soir. À moins d'être en coton indien ou quelque chose s'en approchant. Comme on n'entre pas au bureau un lundi matin en robe de bal, peut-être devrait-on aussi éviter le *palazzo* en mousseline noire. Le velours fluide, les mélanges de rayonne et tous les tissus chatoyants ont le même effet.

Quelles chaussures?

Avec un *palazzo* pour le soir, des mules dorées ou en velours pour un effet mille et une nuits, des sandales à brides ou des escarpins très fins. Le jour, des bottines ou des chaussures grand-mère à talon de 5 à 7 cm. Mais un talon ou une semelle épaisse, absolument: *palazzo* et chaussures plates ont ensemble un curieux effet.

Silhouettes et profils

Quelques bonnes choses à savoir avant de se jeter sur le premier pantalon venu:

▶ Tissu rigide + ampleur = désastre. Les pantalons amples doivent toujours être coupés dans des tissus légers. Les tissus ayant un peu plus de poids conviennent aux pantalons plus étroits.

▶ Les poches raglan doublées ou à même les coutures latérales ne sont pas flatteuses pour les hanches fortes.

▶ Pour donner l'air plus mince à une taille un peu enveloppée, rien de mieux que des poches à zips posés en diagonale sur le ventre.

▶ Le pantalon à plis pleine longueur devant amincit et allonge la jambe. Et il est chic, en plus.

▶ Le pantalon qui se ferme par un zip sur le côté fait des miracles pour gommer le ventre.

▶ Le pantalon «pyjama», avec son cordon coulissant, est superbe pour donner des rondeurs aux maigrichonnes. En soie ou en mousseline, il aide aussi à noyer une taille un peu dodue.

DES NEUTRES POUR LA VARIÉTÉ

Qui a dit que les couleurs neutres étaient ennuyantes? Quand on pense tailleurs, elles sont plutôt une planche de salut. Mettez de la couleur avec ce qui entoure la veste, la jupe ou le pantalon, et vous jouez gagnante. Voici quelques bons coups.

▶ Le beige est au sommet de la pyramide des couleurs caméléon. Choisissez un beige chaud, entre ivoire et caramel, et oubliez le «drabe», qui porte si bien son nom. Quatre saisons par année, le beige peut sortir le soir, magasiner ou aller au bureau avec un égal bonheur. Avec du noir, c'est le grand chic à l'italienne.

- T-shirt de soie noire sous une veste et une jupe droite, accessoires dorés, c'est raffiné.
- Avec du vert pomme, du fuchsia, du bleu électrique — des couleurs qui se retrouvent sur un débardeur en synthétique ou un T-shirt en beau tricot — vous êtes dynamique pour le bureau.

▶ Avec du brun, il devient amateur de sport. Pantalon à carreaux marron, jupe bordeaux ou bourgogne, il fait chic cossu et c'est superbe au coin du feu.

▶ Le noir est le préféré de bien de femmes. Mais un tailleur noir n'est peut-être pas la meilleure chose à avoir dans sa garde-robe. Soit il fait trop soir, soit on vous prendra pour la concierge de l'hôtel. Associez votre veste noire à des éléments de couleur. Vous ne le porterez que mieux.

▶ Le marine est une merveilleuse option pour son côté indémodable et toujours impeccable. Si, comme tout le monde, vous n'en pouvez plus de voir du marine et blanc les jours d'été, essayez-le autrement. Donnez par exemple au marine le rôle du noir et vous le réinventerez:

- Marine avec limette. Plus le contraste sera aiguisé, plus ce sera rafraîchissant.
- Marine avec lavande. Un petit foulard fleuri avec ça? On saluera votre inventivité.
- Marine avec jaune canari. Très mois d'août, très dame. La couleur parfaite comme dans pantalon blanc, veste marine et polo sans manches jaune vif, pour le lunch au club de golf, c'est champion.

D'autres combinaisons astucieuses: marine avec rose clair et fuchsia; avec ivoire ou avec un gris très clair, avec du bleu très pâle ou du vert billard en touches discrètes.

TAILLEUR + ACCESSOIRES

▶ Plus votre tailleur est ajusté, plus vous devriez choisir des accessoires qui font classe. Un petit tailleur ajusté avec des bijoux d'allure bon marché vous feront verser dans le ridicule à la vitesse de la lumière. De belles boucles d'oreilles suffisent. Oubliez le collier. Le col tailleur de votre veste le remplace. Un collier près du cou pour le soir et un petit carré de soie pour le jour peuvent suffire.

▶ Quelles couleurs les chaussures? De grâce, épargnez-nous les chaussures roses avec le tailleur rose. Il n'y a que Barbie qui les porte bien. La couleur parfaite peut être celles des boutons de la veste (noir, brun ou fauve pour les boutons en écaille) ou une des couleurs du tissu de votre veste (le marine des carreaux, le beige du pied-de-poule et ainsi de suite).

▶ Or ou argent? Chaque année, les magazines de mode nous préviennent que l'un est à la mode, que l'autre s'éclipse, et vice versa. Laissez à d'autres ces dilemmes cornéliens. Boutons argentés égalent bijoux argentés (et boucle de ceinture, bien sûr), boutons dorés égalent bijoux en or. Pour les autres, on se base sur la couleur du tissu. Généralement, les couleurs chaudes se coordonnent mieux avec du doré et les couleurs froides avec de l'argenté. Or, ce n'est pas une règle absolue: un beau vert limette (une couleur froide à la base, mais qui contient du jaune), s'entend aussi bien avec l'or que l'argent.

Mariages impossibles

Le beige, le brun et tous les proches parents avec de l'argent.

Le gris, le taupe, le charbon et tout ce qui leur ressemble avec de l'or.

Des tailleurs pièges à contourner

Ils sont là et ils vous narguent. Chaque fois que vous passez devant la vitrine, ils vous font des clins d'œil, vous le savez. Certaines craqueront — il n'y a rien de mal à cela, personne n'est parfait — mais les plus sages mettront de côté ces tailleurs si jolis en vitrine, mais pas polyvalents pour deux sous et dont vous vous lasserez plus vite que ne se fane une rose.

1 Le tailleur en tissu archifragile. Rien qu'en conduisant pour aller au resto, vous avez déjà fait des mailles dans la manche. Cruel gaspillage.

2 Le tailleur «unique». Il est vert ou il est rose ou à pois, qu'importe, ce qu'on sait, c'est qu'il ne va avec rien.

3 Le tailleur tout blanc. À moins d'être Lady Di ou propriétaire d'une blanchisserie, celui-là a beau avoir du chic, il ne vous promet que des factures de nettoyage et des maux de tête.

4 Le tailleur tarabiscoté. Sa veste est ajustée, remplie de fioritures et de quincaillerie. Au bout d'un an, tout le monde l'aura vu... et vous-même ne pourrez plus le voir.

5 Le tailleur bon marché. Il aura beau être bien coupé, il aura toujours l'air de ce qu'il est: un imposteur. Apprenez à le démasquer au premier coup d'œil: tissu rêche ou rendu rigide par des apprêts répétés pour cacher sa piètre qualité, boutons minables, doublure «croustillante» au toucher et, souvent, fabrication en Chine, en Inde ou au Pakistan.

2.

Pulls, chemisiers et compagnie

Des antistars
qu'on aime seules
ou avec d'autres

C'est lorsqu'on voit un acteur ou une actrice aller chercher l'Oscar du meilleur second rôle que, soudainement, on prend conscience de l'importance qu'a eue cette personne dans le succès d'un film. À ce moment précis, on se rend compte à quel point les seconds rôles sont importants. Sans eux, les premiers... seraient peut-être les derniers. Qu'aurait fait Bogart à bord de l'*African Queen* sans Katharine Hepburn? Que serait devenue Juliette Pétrie sans La Poune? Lisa Minnelli aurait-elle connu le même succès dans *Cabaret* sans Robert de Niro? Peut-être, mais le film n'aurait jamais été le même, c'est certain.

Voilà qui nous mène aux chemisiers et aux pulls, dont la fonction est bien souvent aussi exigeante qu'effacée. Comme les acteurs qui jouent les seconds rôles, on exige d'eux qu'ils travaillent fort pour servir de faire-valoir aux autres. Comme eux également, il leur arrive quand même de prendre le plancher, pour peu qu'ils sachent se démarquer un peu et bien s'entourer. Et si, comme dans la chanson, ils adorent être derrière celui qui est devant, ils ont aussi ce qu'il faut pour jouer les stars. Et c'est ce qui fait qu'ils sont si importants.

LES PULLS

On entre ici dans un monde complexe et éclectique, qui s'étend du débardeur qu'on porte en vacances jusqu'au cardigan chargé de paillettes que madame la mairesse arbore au banquet d'huîtres annuel de la ligue de quilles de sa petite ville. Voyons comment on peut les porter et ce qui peut les aider à être à leur mieux. À cela s'ajouteront d'autres informations utiles pour éviter de jeter votre argent par les fenêtres et pour rentabiliser votre achat au max.

Le débardeur

Ancien vêtement des hommes forts (athlètes, lutteurs et débardeurs, à qui il doit son nom), c'est la «camisole» qu'on enfile les jours chauds ou quand, comme moi, on est tout sauf frileuse et qu'on endure mal les manches longues sous une veste, été comme hiver.

Il est comment?
Notre débardeur est tout en coton, avec un brin de *spandex* et comporte le moins de polyester possible. Pourquoi? Parce qu'un tricot qui en contient plus de 35 % donne chaud et peut aussi «cuire» dans la sécheuse, ce qui

finit par le déformer (c'est d'ailleurs ce qui explique que certaines tricots «tournent» ou se déforment après le lavage.

Les débardeurs de meilleure qualité ont des emmanchures surpiquées ou galonnées. On peut aussi en trouver en soie, en version pas chère et lavable, en rayonne et coton (ne les achetez qu'à moindre prix dans ce cas, car la rayonne, dont le but premier était d'imiter la soie, ne vaut pas cher), ou en coton tissé tout court.

Pour le soir, un petit débardeur en satin, en velours *stretch* ou en tout autre tissu chatoyant n'est pas à dédaigner non plus. Pour danser dans une salle surchauffée, c'est une bénédiction. Attention toutefois aux mélanges tout synthétiques si vous êtes du genre à transpirer beaucoup. Les synthétiques vous feront perler la sueur sur le dos et sont à déconseiller dès qu'il fait plus de 25 °C. Pas chic, le débardeur qui reste collé sur les paumes au beau milieu d'un *slow...*

Idées brillantes

Le débardeur peut être une façon vraiment économique de se mettre au pas des tendances. Pour être dans le coup, choisissez-le dans de nouveaux textiles en vogue. De la soie plastifiée, du coton enduit vinyle, du polyester ou du nylon métallisé, tout cela coûte la peau des fesses. Solution: on s'offre à prix doux un débardeur en tissu nouvelle vague pour donner un air actuel au reste de notre garde-robe. Sous une veste, il chuchote la tendance au lieu de crier à tue-tête. Sage idée.

Inoubliable

▶ Un débardeur, en soie ou l'imitant, sous un tailleur.

▶ Un modèle moulant en tricot avec une jupe indienne ou un pantalon pyjama les chaudes journées d'été. Parfait pour les tam-tams sur le mont Royal.

▶ Un *body* (c'est le débardeur, mais avec une culotte) avec un *palazzo* l'été. Il ne manque plus que de beaux cheveux lissés.

▶ Un débardeur en coton piqué et une jupe portefeuille, courte ligne A ou longue et fuselée. Des tennis à talon pour du chic sportif confortable.

Impardonnable

▶ Le décolleté ou les fines bretelles qui laissent voir une large bretelle beige. Si vous ne pouvez vivre sans, le soutien-gorge sans bretelles a été inventé il y a plus de 40 ans; le soutien-gorge dos croisé depuis un quart de siècle.

▶ Le débardeur seconde peau, mamelons en prime, pour aller au bureau. Et dire qu'après, on crie au harcèlement.

▶ La camisole immense avec le grand short. À moins d'être maigre comme Kate Moss, vous aurez l'air d'une tente.

▶ Les bretelles fines qui s'accrochent aux clavicules. Mince comme vous l'êtes, vous pourriez être belle avec tellement d'autres choses!

Le T-shirt

Dessiné par on ne sait quel ingénieur de l'armée américaine pour remplacer la camisole dans l'uniforme des soldats de la Deuxième Guerre mondiale, le T-shirt a passé des années à réchauffer les biceps des hommes avant d'avoir droit de cité de notre côté de la commode. Que Dieu bénisse Jean Seberg, qui l'a porté la première fois dans le film *À bout de souffle*, avec dessus l'inscription *Herald Tribune*.

Il est comment?

Les plus amples aiment faire du sport ou relaxer à la maison, les plus ajustés aiment sortir. Côté matières, le T-shirt de tous les jours est en tricot de coton, avec un peu de *spandex* si on l'aime moulant. Plus il contiendra de synthétique, moins il respirera. Dommage, mais même les plus chers, quand ils sont de couleur foncée, finissent par être délavés avec le temps. Pour retarder un peu le phénomène, vous pouvez les laver à la main et les faire sécher sur un cintre.

Le T-shirt en soie lavée fait un excellent compagnon pour le tailleur. Il est facile d'entretien, élégant et pas cher. Les compagnies de lingerie (je pense entre autres à Papillon blanc) fabriquent aussi de très jolis T-shirts en dentelle. En noir, ils feront merveille pour «vamper» un jean. Glissez-les dans un sac de plastique le matin du jour où se déroule le party des fêtes au bureau: votre tailleur prendra une toute autre allure une fois 17 h sonnées.

Les collections maison des grands magasins offrent à prix doux des T-shirts basiques dont la qualité n'a rien à envier à ceux qui portent des étiquettes plus prestigieuses. En solde, on peut les trouver, même en 1996, pour 8 ou 10 $. En avoir de toutes les couleurs, c'est se prémunir contre les pannes d'imagination.

Inoubliable

▶ Un T-shirt en laine angora bien mousseuse pour égayer une jupe droite ou polir un jean. D'une couleur soutenue, c'est encore mieux.

▶ D'une couleur punch avec un tailleur neutre, un T-shirt en soie ou en beau tricot de coton. Il ne reste plus qu'à changer de T-shirt comme on change de chemise!

▶ Dans une valise, il est indispensable. Bien ample, il peut devenir robe de nuit, sortie-de-bain ou accompagner des shorts ou un jean.

▶ Le soir, en lamé, avec des paillettes ou dans ces nouveaux tissus chatoyants, il est franchement... brillant.

Impardonnable

▶ Le T-shirt à message partout et toujours. Votre marque de bière ou de lunettes iront mieux au gym ou pour faire le ménage du garage.

▶ Le T-shirt ample rentré de peine et de misère dans une jupe ou un pantalon droit.

▶ Celui qui s'est décoloré mais qu'on continue de porter en espérant que personne ne se rende compte qu'il est usé. Ce n'est pas le cas.

Le chandail

L'ancien vêtement des marchands de légumes (le marchand d'ail lui doit son nom et heureusement, les arômes de son étal ne nous ont pas suivis jusqu'ici!) est en réalité un gros pull de laine qu'on porterait davantage à l'extérieur par temps frais qu'à l'intérieur.

Il est comment?

Sous le terme chandail, nous englobons au Québec à peu près tout ce qui est en tricot et qui s'enfile d'un trait tête première. Pull en coton ouaté, en molleton de polyester (la fameuse «laine polaire»), pull fin en cachemire ou tricoté par grand-maman, chez nous, c'est du pareil au même. Faisons donc le tour du chandail à la québécoise.

Disons d'abord qu'il est plus durable et qu'il vaut la peine qu'on dépense un peu plus que pour un T-shirt. Avant d'acheter, on devrait lire les étiquettes pour au moins s'assurer que ce qui nous fait sortir nos sous répondra bien à nos attentes.

Inoubliable

• Le jacquard montagnard. Tout le monde devrait en avoir un.

▶ Le grand pull en chenille sur un *legging*. Refuge de choix pour les femmes enceintes.

▶ Le pull irlandais, avec sa belle laine écrue et ses torsades. À lui seul, il vaut la peine d'apprendre à tricoter.

▶ Le gros pull en molleton de polyester (laine polaire). Indispensable en plein air.

Impardonnable

▶ La petite femme de 1 m 55 (5 pieds) perdue dans un grand pull qui tombe sous les hanches.

▶ Le modèle à pièces de cuir, plumes, passementerie et tout, comme en 1975. Kitsch, on ne trouve plus les mots.

▶ Le coton ouaté partout et pour tout. Surtout le survêtement, que vous ne pouvez plus voir sans doute vous non plus.

Le col roulé

Apparu au temps des beatniks et jamais vraiment disparu depuis, le col roulé est peut-être le seul vêtement vraiment unisexe qui n'ait pas perdu un gramme de son chic décontracté au fil des ans. Mieux: c'est le cadre parfait pour mettre en valeur un visage intéressant. Pensez à Dino Tavarone, notre beau Scarfo, ou à Katharine Hepburn, qui en a fait l'une des bases de son image...

Il est comment?

Fin, moulant et léger sous un tailleur, plus ample et plus épais si vous le portez seul, il peut facilement se retrouver dans votre garde-robe en plusieurs teintes. Bon marché en couleurs mode, plus cher parce qu'il doit être impeccable en noir, il pourrait être remplacé, si vous n'aimez pas les cols qui enlacent le cou, par un col cheminée en tricot de belle qualité.

Ça se relâche?

Certains cols roulés en tricot plus lourd ont tendance à perdre, avec le temps, leur tonus et leur élasticité. Quoi faire pour leur redonner du pep? Faufilez-y quelques aiguillées de fil élastique. La compagnie Pingouin (celle qui fait les laines du même nom) en offre dans ses boutiques. Le fil élastique est aussi fin que du fil à coudre et invisible sous les mailles d'un tricot.

Inoubliable

▶ Le col roulé noir avec des jodhpurs en tricot et *spandex* (ce sont des pantalons d'écuyère) et des bottes de même couleur, et par-dessus une belle veste en tweed.

▶ Un modèle à manches courtes. Féminin, sexy, il vous fait des épaules et une silhouette d'enfer. Passé 50 ans, si vous hésitez à dévoiler vos épaules, vous ferez le même effet avec des manches courtes.

▶ Un pull à côtes en laine d'agneau, enfilé sous un chandail pour les balades automnales.

Impardonnable
▶ Le col «baveux», ainsi surnommé sans doute parce qu'il nous coule sur la poitrine telle une omelette.
▶ Le mariage col roulé et double menton. Un cas de divorce.
▶ Le col roulé de ski en tricot de coton blanc avec une marque de commerce brodée en bleu sur le col. Refusez de jouer les femmes-sandwiches!

Le *twin-set* et le cardigan

Très en vogue dans les années 50, le *twin-set* (ou tandem), ce duo pull et cardigan, a repris du service depuis quelques années, tout comme le cardigan lui-même, sous un bel éventail de variantes, qui s'étendent du classique à col rond et boutons nacrés jusqu'au duo veste longue et grand pull coordonné.

Généralement, plus le tricot qui le compose est chic, plus il l'est. En cachemire, il ne se démodera à peu près jamais et passera absolument partout. Certaines lui reprochent son allure trop stricte, trop «vieille anglaise»: de goûts et de couleurs on ne discute point. Toutefois, à l'intention de celles-là, il existe des modèles à boutons-pression ou à zips, style Agnès B. sans le prix, franchement plus modernes.

Même chose pour le cardigan. La «veste de laine» que votre mère posait sur ses épaules pour jaser avec la voisine se trouve à présent dans un nombre infini de variétés, au moins aussi nombreuses que le chandail cité précédemment.

Le cardigan: une invention féminine

Qui fut la première à porter le cardigan? La championne de tennis française Suzanne Lenglen, qui arbora un jour pour un match ce nouveau pull boutonné signé pour elle par Jean Patou. En réalité, le cardigan doit son nom à Lord Cardigan, ou plutôt à sa cantinière, qui avait coupé pour lui une nouvelle veste à partir de l'ancienne, trouée par les

balles. On se demande pourquoi c'est Monsieur qui a donné son nom au vêtement. Peut-être la cantinière avait-elle un nom trop compliqué à prononcer...

Il est comment?

Plus vous le paierez cher, plus vous le choisirez simple. En fait, on devrait appliquer cette règle à tous les vêtements qu'on achète, question de leur faire braver les modes et le temps.

Achetez une couleur qui ne cessera pas d'être en vogue au bout d'un an. Allez avec ce qui vous plaît et vous va bien plus que ce qui est réellement tendance: c'est la façon la plus sûre de faire un choix qui dure. Si vous dénichez un cardigan pas trop cher et qui vous plaît vraiment, achetez-en plus d'un. Il est à la mode depuis presque 70 ans et il y a peu de risques que ça change prochainement.

Inoubliable

▶ Avec un jean, un *twin-set* en laine d'agneau d'une couleur lumineuse.

▶ Un *twin-set* dont on peut porter les composantes séparément.

▶ Le modèle en cachemire ou qui l'imite bien, la jupe d'un tailleur et au cou, un petit foulard noué.

▶ Pour le *friday wear,* on enlève sa veste et on la remplace... par un *twin-set.*

Impardonnable

▶ Le cardigan en version personnage des *Chroniques du Plateau Mont-Royal,* avec manches trois quarts, gros boutons et tout.

▶ Un chemisier à col Claudine avec le cardigan par-dessus.

▶ Un cardigan blanc. Pour infirmières seulement.

▶ Le gros cardigan en jacquard à motifs cachemire géants (c'est ce qu'on appelle en anglais le *paisley*), qui tombe sur les hanches.

Le polo

C'est René Lacoste, joueur de tennis et grand amateur de crocodiles, qui démocratisa le premier la chemise des joueurs de polo. C'est d'ailleurs le succès remporté par le petit pull brodé d'un croco, bien plus que ses victoires au tennis, qui assurèrent à Lacoste une retraite confortable. Aujourd'hui, la «chemise de polo» en coton piqué possède un nombre incalculable de descendants, dont ces immenses *jerseys* de rugby qui font la joie des jeunes. Les récents étés ont aussi vu défiler leur lot de jeunes filles en fleurs, court vêtues et arborant une version mini-robe du pull à patte boutonnée de M. Lacoste. À l'intention des femmes, Lacoste coud d'ailleurs son petit croco un peu plus haut car en version hommes, le reptile, coquin, accroche sa mâchoire ouverte à la pointe des seins si une femme le porte.

Il est comment?

On ne lui demande que quelques petites choses, mais combien importantes: une patte piquée, des boutons nacrés, un col à fines côtes, des fentes à l'ourlet — les meilleurs sont aussi plus longs devant que derrière pour rester bien en place même quand on bouge pendant le sport. Du coton piqué pour les inconditionnelles, ou du *jersey* à rayures ou autrement si on l'aime en version plus jazzée. L'important, c'est de ne pas payer trop pour un tricot synthétique qui boulochera et se déformera après deux ou trois lavages.

Inoubliable

▶ Un polo à manches longues à rayures marine sous un blazer marine. Avec un jean pour une allure très «Québec-Saint-Malo».

▶ Un modèle blanc sans manches pour jouer au tennis.

▶ Les détails du polo détournés: T-shirt à patte polo en satin ou en velours *stretch,* petite robe en lainage à col polo et ainsi de suite.

Impardonnable

▶ Le polo version jeune de 15 ans, archilarge et à grosses rayures. Ne blâmez pas votre homme de regarder les autres filles.

▶ Le sans-manches sur des bras en allumettes.

▶ La petite robe polo très courte portée en version ado... quand on est dans la fleur de l'âge.

▶ Le polo griffé ostentatoire qui ne vaut pas mieux que celui payé 20 $. Il y en a. Je ne blague pas.

Tricots, mais encore?

Le prix d'un pull dépend de plusieurs facteurs, qui vont de l'image de la marque à la popularité du designer qui le signe jusqu'au lieu de fabrication et aux matières qui le composent. En général, et c'est le cas pour la plupart des vêtements, les modèles fabriqués en Occident et en Europe sont plus chers que la moyenne.

Voici les principales matières utilisées pour les pulls. Aujourd'hui, la plupart sont faits d'un mélange de fibres naturelles et synthétiques. Celles-ci commencent d'ailleurs tranquillement à perdre leur image négative. Il était grand temps, car leur rôle est important. Les synthétiques comme le nylon, l'acrylique, le polyester ou le *spandex* sont aux tricots ce que sont les agents de conservation aux aliments. Comprenez par là qu'ils les aident à durer plus longtemps.

Le **cachemire** ($$$) est une laine produite à partir de la toison de chèvres de montagne vivant en Chine et dans plusieurs autres pays du Moyen-Orient. Il coûte très cher, on le sait, et s'use malheureusement assez vite. Pour les plus économes ou les budgets plus modestes, un peu de cachemire mélangé à de la laine d'agneau pourrait aussi convenir fort bien.

La **laine mérinos** ($$) provient d'une race de mouton australienne ainsi nommée. C'est une laine douce et fine, habituellement tricotée serrée et toujours très chaude. C'est le choix parfait des frileuses.

La **laine d'agneau** ($$) qu'on appelle aussi *lambswool,* provient de jeunes agneaux dont on tond la toison avant l'âge de sept mois. Assez chère, on la retrouve souvent mélangée à d'autres fibres dans des pulls qui s'annoncent pourtant comme étant en laine d'agneau. Une autre bonne raison de lire les étiquettes avant de payer le gros prix!

L'**angora** ($$$) est une laine filée à partir de la toison de lapins ou de chèvres à poils longs. Extrêmement douce, on la retrouvait beaucoup jadis dans les articles pour bébés. Elle est habituellement mélangée à d'autres types de laines, parce que trop délicate pour faire un pull à elle toute seule.

Le **shetland** ($$) est une laine robuste et résistante qui doit son nom au lieu d'élevage des moutons dont elle provient. Plusieurs pulls qu'on trouve ici n'en ont que le nom, d'où leur prix modique. Le vrai Shetland est cher.

On le retrouve surtout du côté des gros pulls et des vêtements d'extérieur.

Le **tricot de soie** ($$$), superbe, frais et très doux, est encore peu répandu et se retrouve beaucoup du côté des vêtements d'été. On fait aussi depuis quelques années des mélanges intéressants lin et soie, soie et rayonne ou soie et coton.

La **maille de coton** ($), faite à partir de fil de coton tricoté, est fraîche et respire bien. C'est la composante de bien des pulls offerts à petit prix. Évitez les fibres mélangées avec du ramie, une fibre végétale d'origine asiatique de qualité médiocre, peu résistante et souvent utilisée pour «étirer» le coton et minimiser les coûts de production.

Le tricot de coton a tendance à s'allonger avec le temps. C'est le poids du coton qui, petit à petit, fait s'étirer ses fibres. On peut lui redonner sa taille d'origine en le lavant à la machine et en le séchant dans la sécheuse. Lavez toujours les pulls de coton séparément, car souvent, leur teinture est mal fixée et ils déteignent.

Le **jersey** ($) est un type de tricot qui peut être réalisé avec du coton, de la laine, de la soie, de la rayonne ou des synthétiques. Très serré, on le prendrait presque pour un tissu. Il est extensible, infroissable et côtelé en longueur sur l'endroit.

Le **lurex** ($), qu'une amie à moi appelle en souriant la paillette des pauvres, est une marque de commerce (au même titre que Kleenex, Frigidaire et ainsi de suite). Pratiquement passé à l'usage, le terme désigne un mélange de fils d'aluminium argenté ou doré et de polyéthylène, que l'on ajoute à d'autres fibres (coton, nylon, rayonne et ainsi de suite). Le lurex est apparu dans les années 40 et Michael Jackson l'a remis à la mode avec ses gants et ses fameuses chaussettes.

Silhouettes et tricots
▶ Question texture, jouez les contrastes: taille fine avec gros tricot... et maille très fine si vous êtes plus ronde.
▶ Le grand pull qui tombe sur les hanches ne camoufle pas les rondeurs. Il aurait plutôt tendance à leur donner plus d'importance, surtout si vous avez la poitrine forte.
▶ Si vous avez les épaules fines et le bas du corps plus large, essayez un pull noué sur les épaules. Miraculeux!
▶ Les emmanchures américaines (c'est-à-dire le sans-manches coupé à la diagonale, qui part du cou pour rejoindre l'aisselle) vous découpent une belle silhouette en V, surtout si vous avez déjà de jolies épaules. Même chose pour les pulls dont le col enlace les épaules.
▶ Le pull chaussette (c'est un pull côtelé qui s'appelle ainsi parce qu'il s'enfile comme une chaussette), avec ses côtes à la verticale, ne pardonne rien et n'aime que les ventres plats. Si vous préférez allonger votre silhouette, préférez un pull de texture unie avec zip central. Magique.

LE CHEMISIER

La chemise a longtemps été un sous-vêtement et est maintenant, dans la garde-robe des femmes du moins, un vêtement de nuit. C'est pour cette raison que la chemise est aux hommes ce que le chemisier est aux femmes: pratique, basique, essentiel.

On en trouve deux catégories sur le marché: le chemisier de tous les jours, simple et en fibres naturelles, et celui qui prend une tournure plus mode, du fait qu'il est imprimé, coupé dans un tissu particulier ou plus moulant. Des deux, on exige les mêmes qualités.

Le bon chemisier en cinq points

1 Les poignets possèdent une entredoublure de belle qualité et les fronces qui maintiennent les manches aux poignets sont égales, bien réparties.

2 Aux poignets toujours, les fentes d'aisance situées sur les côtés (on les appelle les «pattes capucin») sont habillées d'une bande du même tissu que la chemise et celle-ci est soigneusement surpiquée.

3 Les boutonnières sont bien finies. Pas de fils qui dépassent, par de zigzags chétifs et tremblotants. Les boutons sont de belle facture, nacrés, en métal ou recouverts de tissu.

4 Le col est surpiqué avec soin sur tout le pourtour. En le dépliant, on peut aussi voir que la couture du cou est surpiquée.

5 Au dos, l'empiècement d'épaules est double et à l'essayage, on peut voir que ses deux côtés sont symétriques.

Parlons matières

Outre sa confection, un bon chemisier se reconnaît au tissu qui le compose. En effet, il aura beau avoir le plus beau design qui soit, s'il est en rayonne, il ne fera pas vieux os! Passons en revue les matières dans lesquelles on coupe des chemisiers.

▶**Chiffon**

Légèrement diaphane, le plus abordable est fabriqué avec du polyester, le plus cher avec de la soie. Il sèche à la vitesse de l'éclair, mais en version synthétique, il a le défaut de générer facilement de l'électricité statique.

▶**Coton**

On pourrait s'étendre des heures sur toutes ses qualités. Pour un chemisier, préférez la popeline de coton, durable avec ses fils très fins et son tissage serré. C'était l'étoffe des habits des papes, d'où son nom. Et comme ceux-ci pensaient régner pendant des années, ces habits-là se devaient de briller par leur durabilité.

▶**Denim**

Il fait partie des cotonnades. Évitez le denim trop épais et privilégiez la souplesse avec du 12 onces ou moins. Bien sûr, choisissez un modèle coupé pour femmes. La mode unisexe, c'est fini depuis 25 ans.

► **Finette**

C'est ce que tout le monde appelle «flanellette». Solide, absorbante, elle compose ces fameuses chemises à carreaux qui ont leurs inconditionnelles.

► **Lin**

Doux, résistant, tellement chic, il est mal aimé parce que froissant. Le drame, c'est que vous pouvez vous faire refiler du lin de mauvaise qualité sans vous en rendre compte parce que certains manufacturiers ont l'habitude de l'encoller (de l'enduire) de produits qui simulent la rigidité caractéristique du lin de qualité. Recherchez du lin sec et bien craquant, pas trop luisant, et un tissu qui, froissé avec les mains, laisse des plis bien nets. Et lisez les étiquettes!

► **Mousseline**

C'est de la soie ou du synthétique (polyester, triacétate nylon). C'est transparent et c'était très à la mode jusqu'à il n'y a pas si longtemps. En noir, la mousseline est hypersexy. En blanc, elle fait dans le genre second mariage. En couleurs, elle verse dans le kitsch très facilement.

► **Polyester**

Le polyester est un monde en soi. Surtout depuis quelques années, alors que les fils qui le composent se sont grandement raffinés. Dans un chemisier, il peut avoir l'allure du satin, de la dentelle extensible, de la mousseline ou du chiffon et il peut être doux comme de la soie en version «microfibres», en raison de la finesse extrême des fibres qui le composent. Il a bien des qualités, mais il ne respire pas, comme la majorité des synthétiques. À éviter donc, les journées où il fait très chaud.

► **Satin**

Utilisons le mot «satin» comme un terme générique pour désigner tout ce qui a un aspect satiné. Le vrai satin, fait avec de la soie (il venait à l'origine de la ville de Zaytoung, en Chine, d'où son nom) est certes plus confortable et plus chic, mais il coûte plutôt cher. Les élégantes au portefeuille moins bien garni vivront très bien avec du satin synthétique, à base de polyester, d'acétate, de triacétate ou de tout cela ensemble.

En version *stretch,* le petit chemisier de satin est à croquer! On peut en trouver dans les magasins d'escompte pour trois fois rien. Voilà une bonne façon de varier sa garde-robe à bon prix.

▶ **Soie**

Il en existe une foule de variétés, assez pour écrire un livre tout entier. La soie naturelle est merveilleuse, légèrement élastique et superbement confortable... et elle coûte cher. La soie bon marché vaut le prix payé. Attention aux bains de soleil et aux parfums: ce sont les pires ennemis de la soie.

▶ **Soie lavée**

C'est la cousine bon marché de la précédente. Moins fragile, usée par abrasion comme les jeans, elle se lave bien, d'où son nom. Elle est plus abordable, mais aussi moins chic que la précédente.

▶ **Viscose**

Contrairement à ce que croient beaucoup de gens, la viscose est une fibre d'origine naturelle. Elle est fabriquée avec de la pulpe de bois. Polyvalente à souhait, la viscose est un remarquable caméléon: elle peut imiter le coton, la laine, la soie et mélangée à d'autres fibres, elle leur prête sa remarquable résistance. Elle respire bien et imprimée, ses dessins resteront impeccables aussi longtemps que durera votre chemisier.

L'essentiel de la garde-robe chemisiers

Ce que vous devriez avoir? Voici cinq modèles de base qui se prêteront à une foule de possibilités.

▶ Le chemisier blanc en popeline de coton

On l'a dit et redit, celui-là est indispensable. En deux exemplaires, c'est encore mieux. Un chemisier de bonne qualité peut aller chercher dans les 100 $ (c'est le cas de ceux de la collection maison Holt Renfrew, qui sont impeccables), mais peut durer facilement cinq ans. Pensez-y: c'est 20 $ par an. Avec des rayures comme une chemise d'homme, il peut être tout simplement sublime.

Ses compagnons: Les tailleurs jupe ou pantalon. Sous un jumper ou un pull, avec un gilet de suède noire, avec un jean. Il va avec presque tout. Il conviendra moins aux vêtements à paillettes ou à brillants; s'il est sage comme celui des hommes, il n'ira pas non plus avec le satin ou les matières très brillantes.

▶ Le chemisier de soie

Recherchez de la soie naturelle de première qualité, légèrement élastique et qui fait un bruit mouillé quand vous agitez le chemisier devant vous. À défaut, la soie lavée fait aussi l'affaire, mais n'a pas la moitié du chic d'un beau chemisier de soie. Préférez l'uni à l'imprimé. C'est plus polyvalent.

Ses compagnons: Une jupe ou un pantalon en cuir ou en suède, en beau lainage ou même en denim. En version soie lavée, il est plus sport. Il s'accorde moins bien avec les tissus plus somptueux (le velours, par exemple).

▶ **Le chemisier imprimé**
Ce n'est certes pas le plus pratique, mais il ajoutera un peu de pep à une garde-robe qui en manque. Préférez les fibres synthétiques, souvent bon marché, et vous pourrez ainsi vous en offrir plusieurs. Fleuri ou à dessins géométriques, à carreaux ou à rayures, il aura plus de punch si vous évitez de l'associer à d'autres imprimés.
Ses compagnons: Tout dépend de son style, bien sûr. Un chemisier Versace tapissé de têtes de lion n'a rien à voir avec les scènes de chasse à courre qui tapissent certains modèles ringards de grands magasins. L'important, c'est de l'assortir à des matières unies. Il faut être vraiment doué côté style pour marier des imprimés intelligemment. Autre argument à considérer: un chemisier imprimé sous une veste en tweed ou en prince-de-galles peut rendre fou n'importe qui.

▶ **Le chemisier en jean**
Coupé pour femmes — c'est important —, avec de beaux boutons en métal ou à pression, c'est un allié pas cher pour les tenues week-end. Les marques obscures (souvent des noms à particule ou à consonance italienne) offrent, c'est étonnant, une qualité plus qu'honnête compte tenu de leur prix.
Ses compagnons: Les tricots, qu'on enfile dessus s'ils sont épais et dessous s'ils sont fins; on peut aussi s'en servir comme surchemise, sur un pantalon *chino*, avec une robe décontractée ou sur un T-shirt. Avec un jean, choisissez-le d'une autre matière ou d'une couleur différente que le bleu du denim.

▶ **Le chemisier de mousseline**
De toutes les photos de mode et de tous les défilés depuis

des années, il a fini par s'éclipser. Mais vous savez comme moi que tout revient et la mousseline, ça reviendra, parce que c'est sexy et follement séduisant. Mousseline de soie pour les bien nanties, polyester pour les futées sans fric.

Ses compagnons: La jupe chic, le *palazzo* et tout ce qui fait soir; un soutien-gorge mirifique pour mettre en dessous ou sinon, un gilet ou une veste pour cacher ce qu'on ne saurait voir. En voyage, il fait une superbe sortie-de-bain et comme il se lave bien, on ne se lassera pas de l'enfiler.

Quelques bonnes idées autour du chemisier

▶ Changez les boutons... pour changer. Ou mieux: achetez des cache-boutons. Ça habille.

▶ Portez une cravate et enfilez par-dessus un gilet et une belle veste, pour jouer les Parizeau d'un jour.

▶ Offrez-vous un chemisier à poignets transformables (ils sont doubles et ne comportent que des boutonnières) et mettez des boutons de manchettes. C'est fort joli. Si la chemise a des boutons, placez vos cache-boutons aux poignets.

▶ Avec votre chemisier en jean, portez au cou un petit foulard noué sur le côté, à la «Marcel».

▶ Essayez la grande chemise vaporeuse sur une petite robe moulante. Elle demeure sexy, mais devient plus élégante.

▶ Si vous avez des abdos d'acier, nouez votre chemise blanche à la taille les jours de canicule. Vous leur donnerez chaud!

▶ Pour métamorphoser un chemisier blanc un peu fatigué, cousez sur la patte de boutonnage de petits écussons brodés (des bouquets de fleurs, par exemple). On les trouve dans les magasins de fournitures de couture. Vous pourrez ainsi diriger l'attention ailleurs que sur des poignets usés.

3.

Les robes

L'habit qui fait la femme

Nous en avons porté et nous en porterons toujours. Comme nos aïeules avant nous qui, après s'être promenées en «culotte comme un zouave», n'ont pas pensé une minute à troquer leurs robes contre un pantalon. C'est que la robe constitue et constituera toujours, dans le monde occidental, l'apanage exclusif des femmes. Le couturier français Jacques Estérel a bien essayé d'en faire porter aux hommes en 1970, mais hormis le fait que le monde entier a ri un bon coup, son projet n'a heureusement pas eu de suites. Côté tendances, on nous énonce de temps à autre qu'elle revient, puis qu'elle s'éclipse. Il n'y a pas là de quoi fouetter un chat. En effet, quelle femme pourrait se passer d'une robe, et de son côté chic instantané?

Après que le pantalon a fait son entrée pour de bon dans notre camp, vers la fin des années 50, on s'est mis à accorder de moins en moins de place à la robe dans notre attirail vestimentaire. Dans les années du *Womens' Lib,* tout semblait indiquer que pour la robe, les carottes étaient cuites: le pantalon, en jean ou en tricot de polyester à l'époque, était l'habit de combat de toutes celles qui ont brûlé leur soutien-gorge ou rêvé de le faire. Les autres étaient de plus en plus nombreuses à lui préférer la mini-jupe. Heureusement, il y avait Courrèges, ses petites robes carrées et avec lui Yves Saint-Laurent et son historique robe Mondrian, qui ont fait des petits par millions chez nous et partout au monde.

Passé le tumulte de ces années de révolution rose, la robe a repris sa place dans nos placards. Même si les coordonnés ont toujours une longueur d'avance sur elle, elle continue de bien se porter, dans tous les sens du mot et elle demeure le vêtement le plus pratique qui soit. On l'enfile, on est prête. Sans soucis, sans casse-tête. Mais force est de reconnaître que la robe a les défauts de ses qualités: on la porte telle quelle et elle ne se métamorphose pas. Qu'on change de bijoux ou de chaussures, elle sera toujours la même. D'où l'importance, je crois, de privilégier les modèles les plus caméléons possible, qui pourront changer de personnalité selon ce qui les accompagnera.

LA ROBE AU RYTHME DES SAISONS

Certaines femmes sont plus «robe», d'autres sont plus «pantalon». Les premières en auront facilement cinq par saison; les autres se contenteront d'un ou deux modèles de «dépannage» pour l'été et d'une petite robe de laine pour l'hiver. Au minimum, on devrait prévoir une robe par saison.

Vos essentiels

▶ **Une robe à découpes sans manches**
La designer italienne Miuccia Prada l'a réinventée il y a quelques saisons et on continue d'en trouver dans toutes

les collections de prêt-à-porter potables et même dans les magasins d'escomptes. C'est la robe presque droite, à encolure ras-du-cou ou arrondie, dont le corsage fait penser à un débardeur. Façon années 60, elle a ce qu'il faut pour vivre encore bien des années avant d'être démodée. Choisissez du marine, du chocolat ou du noir ou, si vous avez envie d'en mettre plein la vue, une couleur plus explosive, genre rouge pompier ou vert absinthe.

Préférez les tissus souples, pas trop chauds et qui tombent bien: laine fraîcheur, tricot de coton et viscose ou crêpe fin pour le quotidien, matières plus lustrées ou plus satinées pour les occasions spéciales. Une robe comme celle-là, en satin polyester bleu nuit, peut faire de vous le clou de n'importe quelle soirée.

Portez-la avec une veste coordonnée ou d'une couleur et d'une matière qui s'accordent bien à votre robe, pour le bureau. Elle ira dîner toute seule, avec des cheveux bien coiffés, des chaussures superbes et des bijoux qui en jettent. Avec des sandales rétro en été, vous pourrez être la plus belle pour aller danser.

▶ Une robe-chemisier

Elle a changé de look au fil des ans, mais elle a su garder ses qualités de base: elle est pratique, elle vous fait une jolie silhouette et va avec à peu près n'importe quoi. Version week-end, choisissez un modèle facile d'entretien, avec boutons-pression et poignets qu'on peut rouler à sa guise. Version plus chic, allez-y avec une robe à double boutonnage ou à découpes

qui galbent bien, ou avec une robe à jupe large pour mettre les formes en valeur. Il existe aussi des modèles à passants dans lesquels vous pourrez enfiler votre plus belle ceinture.

Côté matières, le jean ou le velours côtelé rendent votre robe-chemisier décontractée et pratique pour les «soupers de fille» et les soirées entre amis. Puisqu'elle est en coton, elle se lave comme un charme et ne vous coûtera pas les yeux de la tête.

Avec du crêpe de laine ou un mélange de viscose, votre robe-chemisier adoptera une toute autre personnalité. Elle ira au bureau, au restaurant avec de beaux bijoux et fera belle figure au thé de quatre heures, chez belle-maman et partout où autrefois, une «robe d'après-midi» était de rigueur.

Portez-la avec des bottines et un collant de laine et un petit foulard au cou, si elle est en denim ou en velours côtelé. En été, la robe-chemisier en denim souple fraie aussi avec les espadrilles, les sandales plates, les accessoires folklo et la paille.

En version chic, collant voile et escarpins sont de rigueur. Préférez le collier près du cou au grand truc qui pend sur la poitrine, à cause du boutonnage. Si votre robe a un col tailleur, une petite broche raffinée au revers n'est pas une mauvaise idée non plus.

Au rayon denim et velours côtelé des grands magasins, on trouve depuis quelques saisons des robes-chasubles (jumpers) et des jupes à bavettes comme des salopettes.

Une bonne idée pour celles qui ont une silhouette jeune et délicate.

▶ Une robe en tricot

Idéale pour les soirées (et les journées) d'hiver, la robe en tricot est un vrai cocon de douceur au coin du feu ou quand, au boulot, le vent frais du chauffage central vous donne la chair de poule. Pratique au max, vous la choisirez en fonction de ses aptitudes à se marier aux autres éléments de votre garde-robe (c'est sans doute pour cette raison que c'est le noir qui se vend le mieux). À col roulé pour les vraies frileuses, à col polo pour les mordues de mode et à encolure ronde pour les plus classiques, elle sera longue, mi-longue ou mini selon qu'on souhaite ou non montrer ses jambes. Bien sûr, plus elle est courte, plus le collant qu'on porte avec sera opaque.

Le meilleur tricot est celui dans lequel vous vous sentez bien et dont le prix vous convient. Laine mérinos pour les frileuses, angora et laine pour les peaux sensibles, cachemire ou mélange de cachemire pour les mieux nanties, laine et acrylique très fin pour les plus enveloppées qui, habituellement, ont toujours chaud. On trouve aussi à bon prix des robes en «sherpa» (polyester brossé, puis bouclé) ou en tricot de polyester bien duveteux.

Portez-la avec une belle veste ou seule avec des bijoux simples, avec un grand châle en lainage ou un cardigan long coordonné. Le tricot est naturellement décontracté et ne s'accorde pas, habituellement, avec les joyaux, le strass et autres accessoires des grands jours. À moins, bien sûr, qu'il ne compose une robe chic, genre noire, sans manches et près du corps. Autrement, pensez collant opaque, grand pull et accessoires simples.

La robe en tricot, sans être trop moulante, doit quand même être relativement près du corps. En clair, cela veut dire qu'elle ne pardonne pas grand-chose. Comment éviter l'effet «Bonhomme Michelin» d'une culotte et d'un soutien-gorge qui vous serrent les poignées d'amour? En portant un *body* sous votre robe. Avec ça, même les plus dodues auront une silhouette d'enfer. Et attention: les *bodys* d'aujourd'hui n'ont rien à voir avec les «combinés» du temps jadis. Voyez à ce sujet la section «dessous».

▶ Une robe d'été longue et colorée

Été en ville ou à la campagne, vous aimerez en avoir plus d'une parce que c'est la plus jolie façon de braver la canicule. Si vous vous passez facilement de soutien-gorge, vous aimerez les modèles à bretelles fines ou avec des nœuds sur l'épaule, les robes sans bretelles et les décolletés audacieux. Dans le cas contraire, les modèles façon débardeur vous conviendront mieux.

Avec des tissus comme le coton imprimé, la rayonne, le coton indien, il n'y a pas de raisons de s'énerver si un peu de crème glacée atterrit sur votre robe ou si elle se retrouve pliée en huit au fond d'un sac de plage. Donc, préférez les tissus qui se lavent bien parce qu'en été, on transpire toujours plus. Ne vous jetez pas sur les étiquettes dans les trois chiffres et contentez-vous de robes bon marché, achetées en solde dans les grands magasins ou dans les boutiques «ethniques» des grands centres urbains. L'important, c'est que votre robe d'été ne soit pas trop capricieuse côté entretien et surtout bien légère.

Portez-la avec des bijoux de style africain, des sandales plates ou même avec des sandales de marche ou des mules à semelle de bois type Dr Scholl. Avec une grande robe de coton, c'est le temps de sortir toute votre panoplie d'émule de Francine Grimaldi: bracelets de métal, enfilades de pierres semi-précieuses, bijoux «ethniques». Ne vous gênez pas: la profusion aura toujours bon goût.

Le camélia de Chanel, vous connaissez? Cette jolie fleur en tissu à pétales ronds s'est retrouvée, ces dernières années, sur bien des robes et des vestes, chez Chanel mais aussi sur les vêtements de la classique maison St. John's, qui propose à prix d'or des tailleurs fabuleux. On peut trouver de ces camélias ou des fleurs de soie qui leur ressemblent dans les bonnes boutiques d'accessoires et chez quelques chapelières. En un clin d'œil, elles peuvent donner un charme fou même à la robe la plus ordinaire.

C'est le tissu qui fait la robe

Tweed ou charmeuse? Laine fraîcheur ou tricot de polyester? Choisir une robe, c'est aussi choisir la bonne matière, celle qui s'accorde à votre silhouette, s'entend. Voici quelques règles qui, si elles ne sont pas absolues, peuvent vous assurer de faire les meilleurs choix.

▶ Les matières plus lourdes ou plus épaisses conviennent aux modèles plus simples. Les volants, les petites poches, les plissés, ça se fait dans des tissus souples et plus fins.

▶ Les gros tricots, les grand carreaux, le velours à larges côtes et les grosses textures vont mieux aux plus minces qu'aux silhouettes plus enveloppées. Celles-ci préféreront, à l'inverse, le velours milleraies, les tricots mats et fins, les lainages poids plume.

▶ Une silhouette dodue peut très bien s'accommoder de gros imprimés, à conditions que ceux-ci ne soient pas trop contrastés (s'ils sont offerts dans une variété de teintes de bleu, par exemple). Notez aussi que les petits imprimés sur fond foncé ont un effet amincissant qui tient presque du prodige.

▶ Le satin et tous les tricots chatoyants font merveille pour donner des rondeurs à celles qui n'en ont pas. Le joli décolleté d'une robe en satin de couleur claire peut presque donner à un 32A l'air d'un 34B!

Silhouettes et profils

Une règle d'or quand on veut dénicher la robe qui nous ira comme un gant: on joue avec les proportions en choisissant avec soin la façon dont sont construits le corsage et la jupe. Ainsi, un corsage orné de dentelle, de passementerie ou d'autres éléments qui attirent l'attention peut servir à diriger le regard ailleurs que sur vos jambes un peu courtes ou trop arquées. De la même façon, une jupe courte ou plus moulante et de belles chaussures peuvent mettre vos jambes à la une et faire oublier un petit ventre ou des hanches plus enveloppées.

Voici quelques autres bonnes recettes pour aider la robe à mieux vous mettre en valeur.

1 Les boutons pleine longueur allongent la silhouette. Ajoutez à cela des découpes verticales surpiquées, et vous obtenez la robe-chemisier, qui va à tout le monde.

2 Les emmanchures américaines amincis-sent la taille. En donnant l'illusion d'é-paules plus larges, la silhouette se découpe comme un V.

3 Avec une poitrine et un torse un peu forts, rien de mieux qu'un corsage blou-sant monté sur une jupe ligne A. Vous savez sans doute aussi que les détails qui enca-drent le décolleté (passementerie, poches, boutons et ainsi de suite) feront meilleur effet sur un buste plus modeste.

4 La petite robe à taille empire est parfaite pour souligner la poitrine et faire oublier une taille trop enveloppée ou un petit ventre. Elle exige toutefois des jambes bien proportion-nées.

2

5 Les robes ligne A donnent du style aux maigrichonnes. Petite poitrine, épaules menues, vous aurez l'air d'un mannequin, enveloppée dans des mètres de tissu.

6 Le duo robe et veste est flat-teur pour tout le monde. En noir, marron ou marine avec un beau foulard, c'est l'élégance absolue quelque soit votre silhouette.

4

7 Les découpes princesse amincissent et allongent. Secret de poli-chinelle...

8 Les bras en allumettes tolèrent mal le sans manches. Préférez les manches cape ou n'importe quel autre type de manches qui n'est pas conçu pour mouler les bras.

9 Le corps long aime le corsage foncé, les jambes courtes pré-fèrent les robes à jupe fine et taille haut placée.

7

10 Les petites portent mal la jupe bal-lon, le long et les jupes interminables. Elles seront bien plus à l'aise dans du mi-long étroit, des jupes droites, des tissus fins ou à motifs proportionnés à leur taille.

10 impardonnables

1 La robe longue fleurie à col Claudine géant, bordé de dentelle. Comment un truc aussi démodé trouve-t-il encore sa place dans tant de garde-robes?

2 L'ourlet sur le genou ou juste au-dessous. On surnomme cela la longueur «reine Elizabeth». Si la reine savait cela, elle abdiquerait sur-le-champ!

3 La robe chargée de passementerie dorée, d'empièce-ments, de boutons brillants et d'autres grigris. Aller au plus simple est le plus sûr chemin vers l'élégance.

4 Une robe bustier bien moulante sur une grosse poitrine. À moins qu'on affectionne le look Walkirie. Même chose pour le décolleté plongeant sur un 38D. On vous prendra pour ce que vous n'êtes pas.

5 La robe d'écolière en vert sombre ou carreaux *blackwatch*. Décidément ennuyante.

6 Le fleuri campagnard et la dentelle pour aller au bureau. Ne manque plus que votre casse-croûte dans un panier d'osier.

7 Le pull qui essaie de jouer les minirobes. Ça ne fonctionne jamais, sauf sur les mannequins qui font 1 m 80.

8 La robe en coton lycra ultra-moulante, qui laisse presque voir les élastiques de vos dessous. Elle n'a duré qu'un temps... et ça fait déjà bien longtemps.

9 Un ourlet qui monte plus haut qu'à mi-cuisse. Il laissera croire que vous avez oublié de mettre un pantalon.

10 Les froufrous et les volants après l'âge de 16 ans. On n'en porte plus depuis les beaux jours du premier référendum.

Une robe pour toutes?

Comme la robe-chemisier, quelques modèles de robe ont la merveilleuse qualité d'aller comme un gant à toutes les silhouettes. Comme elle également, elles ne sont peut-être pas le modèle dernier cri qui fait la une des revues de mode, mais elles ont ce qu'il faut pour traverser votre quotidien avec élégance et bon goût.

▶ La robe droite à découpes

Manches longues ou manches courtes, on en a toutes eu une noire dans les années 80. Pourquoi ne pas traverser le siècle avec un modèle semblable en bleu nuit, limette, canneberge? Avec des accessoires clinquants, elle fait soir; sous une veste, elle sort n'importe où.

▶ La robe à corsage chemisier et jupe ligne A

Un peu plus et on pourrait dire d'elle qu'elle peut aller aux femmes de 7 à 77 ans. Pas vraiment tendance, c'est la robe qui va au bureau principalement. Manches cape pour les bras dodus, manches courtes classiques pour les autres. Comme elle est presque toujours imprimée, elle se porte mieux sans bijoux ni accessoires. Évitez de la choisir trop longue, elle fait facilement «vieille fille» et ne payez pas trop, car quand vous l'aurez portée toute une saison, vous aurez rapidement envie d'autre chose.

Cols et encolures: quoi à qui

Une robe qui vous va comme un charme, ça commence souvent par une encolure qui vous convient. Quelques astuces à retenir:

▶ Le col roulé et le col Mao exigent un cou mince et qui a du tonus. S'ils peuvent à eux seuls faire quadrupler un double menton, ils font merveille, cependant, pour ajouter charme et sobriété à une poitrine forte.

▶ L'encolure en V (celle d'une robe à corsage cache-cœur, surtout), fait de jolies épaules, découpes bien la poitrine et affine la taille.

▶ Les bretelles fines et la robe-bustier mettent l'accent sur le haut du corps. Poitrines fortes, elles ne sont pas pour vous.

▶ Le décolleté en cœur (ainsi appelé parce qu'il couvre la poitrine comme la portion supérieure d'un cœur) élargit les épaules et avantage les petites poitrines. Le décolleté carré a le même effet.

▶ L'encolure en V, le col châle et toutes les encolures qui dirigent le regard du bas vers le haut allongent le cou. Plus elles sont larges, plus l'effet est marqué.

▶ Tout ce qui est près du cou dirigera l'attention sur votre visage — col chemisier, col roulé, col Claudine, col polo et encolure drapée — et, ce faisant, mettra un bémol sur les petits défauts de votre corps (épaules tombantes, poitrine un peu forte et ainsi de suite).

EXTÉRIEUR NUIT

On ne s'habille plus pour le soir. Du moins, plus au sens où on l'entendait il y a 25 ans. À moins que vous ne donniez dans le carnet mondain à tour de bras, soir désormais rime avec simplicité. Finis les gants qu'on déroule jusqu'au bicep et les boucles d'oreilles comme des lustres italiens. Même dans les magazines américains, les paparazzis ne proposent plus désormais que des stars en robe débardeur à fines bretelles, peu coiffées et à peine bijoutées. Les paillettes n'ont plus droit d'entrée ailleurs qu'à la soirée des Oscars, et encore. Voilà qui est d'excellente augure: plus besoin de rouler carrosse pour avoir un look de star le soir.

Bien sûr, la tenue à adopter dépend du type de sortie qu'on fera. Inutile de s'étendre sur la façon dont on devrait s'habiller pour aller souper avec des copines. Mais pour ces autres occasions où les vêtements s'empilent en masse sur le lit et que notre escorte s'impatiente au salon, nous avons toutes besoin d'inspiration.

Indispensable: une robe chic par saison

Il vous en faudrait une en version printemps-été, la même chose pour la saison automne-hiver. On peut l'appeler robe du soir, même si elle n'en aura que le nom: c'est d'abord une robe bien coupée, impeccablement assemblée, sans guirlandes, ni falbalas, qui pourra changer d'allure lorsque vous changez de bijoux, de coiffure et de chaussures.

Hiver *v.i.p.*

Celles qui sont de tous les cocktails, des premières et des lancements ne se contenteront pas du fourreau de velours qui suffit à la majorité d'entre nous. Elles aimeront les belles vestes à dorures griffées Simon Chang, les envolées d'organza de couleur, le lamé, les étoffes emperlées.

Quand on ne court pas les galas, on ne va pas s'endetter pour une robe dont tout le monde se souviendra même si on ne l'a portée qu'une seule fois. Quel que soit votre choix, une constante demeure: les perles brodées sur une robe ne s'enlèvent pas, alors qu'on peut ajouter ou enlever des bijoux sur une robe plus simple. Alors, que faire? À moins de passer ses soirées dans les cocktails et les bals de charité, mieux vaut investir dans une coiffure des grands jours et dans de beaux accessoires pour donner plusieurs looks différents à la même robe que de payer le gros prix pour une «toilette» de duchesse.

Pour la saison froide, les beaux tissus font les plus belles tenues. Velours, satin, dentelle *stretch* et compagnie seront de beaux écrins pour un ou deux bijoux dorés bien choisis. À moins de se rendre aux Oscars, on devrait modérer ses apparitions en paillettes, tissu métallique de la tête aux pieds et autres extravagances genre vinyle doré. Laissez ces atours de sorcière à Jojo l'astrologue!

Une bonne couturière peut vous confectionner une robe du soir impeccable pour une fraction du prix en boutique. Certaines sont si habiles qu'elles peuvent même faire un patron d'après une photo ou un dessin. Demandez à vos amies de vous refiler des noms car dans la plupart des cas, ces dames aux doigts de fée ne s'annoncent pas.

Été mondain

Dès la fin avril, il faut ranger son fourreau de velours et ses habits noirs. On préférera alors une robe archi-simple, façon débardeur ou inspirée du fameux «fond de robe» que portaient nos mères. Taillées sur le biais, ces robes-là sont magnifiques. Vous pourrez coupler la vôtre à un châle ou une étole d'organza, enfiler dessus un beau chemisier en mousseline de soie ou en chiffon ou une grande veste droite légère, coupée dans une jolie matière.

Choisissez un tissu qui «coule» et qui est frais sur la peau même par temps chaud: soie, tissu à microfibres, satin de soie, voile (en soie, rayonne ou coton, selon votre budget).

Accessoires, accessoires

La parfaite invitée aime ce qui est simple et de bon goût. Ce qui veut dire que plus l'occasion est spéciale, plus votre modération vous honorera. Ce n'est peut-être pas tous les jours qu'on est reçue dans une ambassade, mais ce n'est pas une raison pour traîner à ses doigts, ses poignets et son cou l'ensemble du patrimoine familial. Comme l'ont dit tant de fois les couturiers Serge & Réal (qui ont habillé Jeanne Sauvé et quantité d'autres élégantes de renom), n'ayez qu'un bijou, mais que ce soit le plus beau.

Côté chaussures, l'impeccable est indispensable: cuir verni ou escarpins soignés, talon d'au moins 6 cm (2 po), collant chatoyant ou voile ultra-fin.

Glamour à louer

Vous rêvez de jouer véritablement les stars d'un soir? Louez une robe de gala. Paillettes et marabout comme au temps de Muriel Millard, satin, mousseline, organza, les boutiques qui se spécialisent dans la location de robes pour les grandes occasions vous demanderont quelques dizaines de dollars en échange d'une robe pour un soir. Vous trouverez quelques adresses à la fin de cet ouvrage.

La robe en **10** bons coups

1 Des manches longues en mousseline ou en dentelle pour habiller la peau qui a pris de l'âge.

2 Une robe-chemisier façon saharienne.

3 Une robe-chasuble (un *jumper*) à marier à des cols roulés et à des chemisiers de couleurs différentes.

4 Une robe longue en coton indien pour les jours chauds.

5 Un tandem robe et veste longue pour aller au bureau.

6 La fameuse petite robe noire avec des accessoires qu'on remarque: boa, sandales parées de strass, collier de rêve.

7 Une robe longue mais toute simple, en tricot satiné. Le summum du chic pas cher.

8 Une petite robe polo pour voyager léger et à l'aise.

9 Une robe-tablier dès les premiers jours d'été. Si vous n'en trouvez pas dans les boutiques, faites-la faire.

10 Un décolleté profond au dos pour faire du charme. Ça marche à tout coup.

4.

L'art d'être *chic* et au *chaud*

« Pauvre Canada!», se serait éplorée la Vierge devant les enfants de Fatima. Je serais tentée de croire que la Sainte dame avait sûrement en tête, au moment de faire cette révélation, les froids de canard de nos automnes et de nos hivers trop longs. Reste qu'on a quand même de la chance. Nulle part ailleurs qu'ici, au Québec, a-t-on des saisons aussi distinctes, aussi différentes les unes des autres. Entre les chaleurs de juillet et les bises de l'hiver, il peut y avoir un écart de 60 °C, quand ce n'est pas plus. Quand on aime le changement, on est servi! Si ce vaste registre de températures nous permet, sous une même latitude, de pouvoir traverser un lac en ski de randonnée et se baigner dedans six mois plus tard, ces variations climatiques sont aussi un cadeau empoisonné qui nous fait engloutir des fortunes en vêtements, en cache-nez, en bottes et en chaussures. Quand on pense qu'un bon manteau d'hiver coûte au bas mot 200 $ (et à ce prix-là, c'est vraiment une affaire) et qu'on pourrait, sous d'autres cieux, passer notre vie en sandales et en bermuda, on ne peut s'empêcher de rêver, comme Charlebois, à ce qui nous serait arrivé si Cartier était arrivé par l'Amazone au lieu du Saint-Laurent.

Mais revenons à nos manteaux. Il y a bien quatre saisons, mais quand on parle du prêt-à-porter, des manteaux surtout, il y en a deux. C'est le «printemps-été» et «l'automne-hiver». Dès février, vous le savez, les boutiques s'emplissent de vêtements printaniers. Cela fait plaisir à voir. Quelle joie, en effet, de constater qu'il ne nous reste plus que quelques semaines à grelotter les pieds dans la gadoue! L'été venu, les primeurs trop hâtives sont vraiment plus déprimantes. En effet, qui aime voir des gros pulls de laine, des gants et des moufles au beau milieu du mois de juillet? Heureusement, une majorité de commerçants ont rajusté leur tir depuis quelques années. Les premiers manteaux d'hiver arrivent en magasin fin-août et c'est une bonne chose parce que non seulement on n'a pas envie de les acheter, mais en plus, c'est à ce moment-là qu'ils coûtent le plus cher.

Quand acheter au meilleur prix

Habituellement, les boutiques et les grands magasins offrent leurs manteaux pendant une promotion qui se tient quelques jours en début de saison (pour les manteaux, c'est souvent en août). Ensuite, les prix baissent au fur et à mesure qu'on se rapproche de la fin de la saison. D'où l'importance de savoir patienter quelques semaines et de continuer de porter son manteau un peu usé ou démodé malgré la forte tentation de s'en offrir un autre.

Pourquoi les manteaux (et les vêtements en général) sont-ils toujours plus chers en début de saison? Parce qu'au Canada, les commerçants sont tenus de pouvoir prouver avoir vendu au moins la moitié de leur stock d'un même produit à un prix fixe avant que ce prix ne puisse être qualifié de prix régulier. Ça peut prendre quelques jours... ou plusieurs semaines. Conclusion: votre patience jouera toujours en votre faveur.

Les semaines à encercler sur le calendrier

Impers

Ils sont parfois offerts en promotion aux alentours de Pâques, mais les vraies aubaines sont en fin de saison, soit au début du mois de juin et en octobre. Surveillez aussi les ventes trottoir de janvier et de juillet, au cours desquelles les marchands écoulent leurs vêtements à petit prix pour faire de la place à ceux de la prochaine saison.

Manteaux d'hiver

Vous pourrez obtenir des rabais minimes en septembre ou octobre ou dans le cadre de promotions spéciales, à l'Action de grâces, notamment. Les prix commencent à baisser pour la peine dès le 26 décembre. Dès le 8 janvier, les bonnes affaires sont légion!

VOS ESSENTIELS PAR SAISON

Printemps... et automne

«En avril, ne te découvre pas d'un fil.» Sottises! À moins d'habiter Chibougamau ou Natashquan, dès avril, on peut troquer son gros capot contre un imper ou un manteau de mi-saison. Le même manteau, qu'on commencera à enfiler en septembre, nous suivra jusqu'aux premiers vrais coups de froid. Celles qui voyagent en voiture aimeront l'imper, qu'elles doubleront d'une bonne veste en lainage les jours plus froids. Celles qui se déplacent à pied ou qui vivent dans des régions situées plus au nord pourront porter un manteau de mi-saison, plus chaud ou encore, un imper à doublure détachable, un blouson ou une bonne veste sport.

▶ L'imper

À des lieues du «manteau de pluie» caoutchouté d'autrefois, l'imper est devenu le passe-partout qu'on glisse à son bras trois saisons par année. Il est offert aujourd'hui dans une foule de tissus, le plus génial étant le tissu à microfibres (c'est le plus souvent un nylon), qui respire comme un charme, ne froisse pas, est fin et résistant, doux comme de la soie et ne laisse pas pénétrer l'eau.

Long et trapèze, droit comme un i, épaulé ou galbé avec des découpes, l'imper le plus pratique sera le plus classique. Mais attention: classique ne veut pas dire ennuyant. Laissez le trench gris ou mastic à nos amis masculins, et osez la couleur, l'ampleur qui donne du mouvement, les tissus nouveaux, satinés ou chatoyants!

Quelques bonnes pistes pour trouver le bon modèle
▶ L'imper trapèze exige un corps bien proportionné. Évitez-le si vous avez les épaules très larges ou la poitrine généreuse. Si vous êtes de petite taille, il va sans dire qu'un modèle coupé «petites» est incontournable.
▶ Le trench classique va à tout le monde. Avant d'acheter, assurez-vous qu'il est suffisamment grand pour que vous

puissiez le porter sur une veste. On achète souvent trop petit.

▶ Les modèles galbés, style redingote, sont flatteurs pour la silhouette mais moins pratiques que le trench classique. De plus, ils exigent dans la majorité des cas d'être boutonnés en entier. Ouverte, une redingote ne tombe pas aussi bien.

▶ Le caban, revenu des années 70, est jeune, universel et plein d'humour. C'est ce petit manteau que portaient les Beatles, avec double boutonnage, revers larges et boutons immenses. Son seul défaut, c'est de ne convenir qu'aux minijupes et aux pantalons. Il manque de décorum sur une tenue du soir et fait trop «jeune fille» pour habiller un tailleur. Inutile d'investir des sommes folles dans un caban: comme la mode, il ne durera qu'un temps...

▶ **Impers d'enfer**

▶ Le modèle court en vinyle dernier cri qui coûte les yeux de la tête. Joli dans les magazines, il vous lassera avant même que vous avez fini de le payer.

▶ Le trench long en cuir. C'est une matière trop rigide pour composer un manteau qui se doit d'être fluide. Si c'est votre style, libre à vous, mais en noir, il vous donnera l'air d'Ilsa la louve des SS.

► Le trench très long sur une petite femme. Ajoutez des talons hauts et c'est le délire. Mieux vaut un modèle court ou trois-quarts.

► L'imper archi-épaulé couvert d'empiècements imprimés et de détails inutiles. Impossible de l'harmoniser avec quoi que ce soit.

► Le trench: à la guerre d'abord

Bien français, le terme trench désigne ce manteau d'allure militaire, à pattes de serrage aux épaules et aux poignets, ceinturé et le plus souvent offert en gris, marine ou mastic. Autrefois réservé aux soldats, ce «manteau de tranchées» (tranchées se dit «trench» en anglais), a été officiellement lancé par Thomas Burberry, un Anglais. En 1856, M. Burberry taille ses premiers manteaux dans de la gabardine tissée de la même façon que le lin dont les bergers anglais se taillaient des vêtements résistants à l'eau. Comme bien des légendes, l'imper anglais Burberry n'a pas beaucoup changé depuis ce temps-là... c'est à peu près le même que celui de Bogart, de Colombo ou de l'inspecteur Jobidon.

► Le manteau de mi-saison

Espèce en voie de disparition, il est plus chaud que l'imper et pas toujours... imperméable. En lainage fin ou feutré, parfois même en tricot, il prend la relève du manteau d'hiver dès les premiers redoux d'avril et peut vous réchauffer jusqu'aux premières neiges.

Quelques bons achats

▶ **Un modèle court bien ample.** C'est celui qu'on connaît sous le nom de *swing coat,* parce qu'avec sa coupe quasi circulaire, le tissu qui le compose «danse» (en fait, il «swingue») à chaque pas. Chic, féminin, on l'aime avec un col châle, enfilé sur un joli foulard.

▶ **Un paletot long.** Double boutonnage, coupe droite, lainage, gabardine, façon peignoir ou autrement, le paletot long est de plus en plus imperméable et comme il est plus chaud que l'imper, il gagne en popularité. On en trouve même à doublure amovible, premier signe que les manufacturiers visent de plus en plus à nous offrir du trois ou du quatre saisons. Il était temps.

D'autres bonnes idées

▶ **Un loden brodé.** Ce petit manteau en lainage très dense (un tissu qu'on appelle aussi laine bouillie, parce que c'est un lainage qu'on fait rétrécir et se comprimer par lavages successifs à l'eau très chaude) est coupé carré, et plusieurs le connaissent sous le nom de «manteau autrichien». Il est souvent brodé de motifs montagnards et souligné par des points de grébiche (comme ceux qui finissent le bord des couvertures de laine). Classique, il n'a pas pris une ride depuis des dizaines d'années. Un bon achat pour les amateurs de durable et d'indémodable.

▶ **Un petit blouson de nylon.** Le nylon nouvelle vague n'a rien à voir avec la «toile de parachute» du temps jadis. Il a maintenant du chic, et plusieurs manufacturiers s'en sont servis pour créer des petits manteaux qui ont du style et du punch.

▶ **Un parka de nylon** pour les week-ends et la randonnée (voir la section sur les vêtements de plein air).

▶ **Une cape.** Poncho, grand châle ou cape classique, rien n'est plus élégant pour habiller son tailleur en automne. Comme plusieurs de mes amies, économisez gros en choisissant un superbe lainage dans un bon magasin de tissu et faites-la vous-même en un tournemain un jour de pluie. Toutes les marques proposent des patrons pour le faire.

▶ **Une veste sport en mélange laine et cachemire.** Toutes les boutiques en offrent leur version maison à 120 $ chaque automne. N'oubliez pas de changer les boutons, qui sont toujours affreux.

HIVER

Cauchemar des casanières, bonheur attendu des sportives et des mordues de grand air, l'hiver est drôlement plus amusant quand on est bien habillée. Pourquoi frissonner dès novembre quand on peut trouver dans les boutiques tellement de jolies choses pour être au chaud même sous les froids les plus mordants? Vous n'avez plus d'excuses — même plus celle de la coquetterie — pour claquer des dents sous le ciel enneigé. Car le temps où il fallait se déguiser en ours polaire pour ne pas avoir froid est fini. Il y a des bottes imperméables, des accessoires chauds, amusants ou chic et surtout pas trop chers, et surtout, des manteaux beaux et chauds pour tous les prix et tous les budgets.

Vos essentiels

Ce qui est indispensable chez une peut être totalement superflu chez une autre. Tout dépend de ce que vous faites quand vous mettez le nez dehors. Vous sortez de l'ascenseur pour vous glisser dans la voiture garée dans un stationnement souterrain? Même le plus léger des manteaux européens pourra convenir. Vous skiez, vous patinez, vous marchez chaque jour pour reconduire les enfants à l'école du quartier? Outre votre manteau long, vous aurez besoin d'un parka ou d'une doudoune respectable et irréprochable. Si vous attendez l'autobus tous les matins, investissez dans un manteau facile à nettoyer, long et de couleur sombre. En voiture, on se salit beaucoup moins. Disons qu'il faudrait, idéalement:

► un manteau long si on porte des jupes, des robes et des tenues plus habillées;

► un blouson ou un modèle trois-quarts pour les jeans ou pour les jours où la neige atteint des sommets qui font se traîner l'ourlet de notre paletot dans la gadoue.

► Un parka, une doudoune ou un manteau du même genre pour le plein air ou le sport.

Affaire de matières

Combien coûte un bon manteau de lainage? On peut en trouver de quelques centaines à plusieurs milliers de dollars. La marque, le pays d'où il provient, sa confection et souvent, le magasin où on l'achète, en influencent le prix. Plusieurs grandes marques sont moins chères dans les grands magasins que dans les petites boutiques (normal: les plus gros ont plus de pouvoir d'achat). Toutefois, la boutique a ses avantages: en y achetant son manteau, on a moins de risques de se retrouver à dix avec le même modèle au même endroit en même temps.

La très grande majorité des manteaux d'hiver longs sont en lainage. Seuls ces odieux modèles matelassés sont en nylon. Dieu vous garde à jamais de ces horreurs qui font tellement penser à des sacs de couchage.

Donc, rayon lainages:

▶ Dans les lainages comme dans les tricots, **le cachemire** est toujours plus cher. Il rend les lainages plus doux. À 15 % de cachemire, vous sentez déjà la différence.

▶ **Le mérinos** est presque aussi doux que le cachemire, mais moins cher parce qu'il provient de moutons qui sont plus nombreux que les chèvres cachemire.

▶ **Le poil de chameau.** Rare, il s'agit du duvet du chameau, filé puis tissé pour en faire un lainage. Ce qu'on appelle habituellement «poil de chameau» est la plupart du temps un mélange de laine et de cachemire couleur caramel. Pour savoir ce que vous achetez, lisez les étiquettes.

▶ **Le shetland** est épais, très chaud. C'est la laine par excellence pour les gros manteaux qu'on porte les jours de grands froids. Il est moins cher que les deux précédents.

▶ **La laine vierge.** On reconnaît sa qualité à la présence du logo «Woolmark», en forme de petit écheveau triangulaire. Quand il est piqué sur un manteau, cela signifie que le tissu qui le compose est en pure laine vierge, c'est-à-dire en laine qui n'a jamais été utilisée ailleurs que pour le tissage du lainage qui compose le vêtement.

▶ **La gabardine.** Elle sert surtout aux manteaux de mi-saison ou à doublure amovible, parce qu'elle est plus fine que le lainage traditionnel. On la reconnaît à son côtelé à la diagonale. C'était d'ailleurs le tissu dans lequel M. Burberry, dont nous parlions précédemment, a coupé ses premiers impers.

▶ **L'alpaga.** C'est la laine d'un animal du même nom, qui est en fait une sorte de cousin sud-américain du chameau. Plusieurs lainages dits «d'alpaga» sont en fait de la laine, de la rayonne ou du mohair auxquels on a ajouté un peu d'alpaga, ce qui est une bonne chose parce que l'alpaga seul coûte les yeux de la tête.

▶ **Les mélanges de laine.** Plus ou moins coûteux selon leur contenu, ils peuvent coupler le mérinos, le cachemire, l'alpaga et la laine classique, le shetland et le lainage, et avec tout ça du polyamide (c'est un synonyme de nylon). La proportion de chacun des ingrédients a bien sûr une influence directe sur le prix du manteau.

D'autres matières à considérer

▶ Le melton. Ce lainage peu dispendieux, d'aspect feutré, composait autrefois les manteaux des policiers et des soldats. Souvent marine ou noir, on en trouve encore aujourd'hui du côté des manteaux à petit prix. Il existe aussi en mélange synthétique.

▶ La fausse fourrure, la fausse peau lainée.

▶ Le simili suède.

▶ Les mélanges de lainage, polyester et nylon, qui s'usent moins vite que les lainages classiques.

Et la coupe?

▶ Les modèles ceinturés vont à toutes; évitez le trop «blousant» et le très plissé à la taille si vous êtes ronde.

▶ Le trapèze et les modèles plus amples conviennent moins bien quand on a le haut du corps plutôt enveloppé;

▶ Les tissus épais, à tissage grossier ou très texturés s'accordent mieux aux silhouettes plus fines.

▶ La redingote accentue les courbes de la silhouette. Elle amincit et allonge. Chic long ou court.

▶ Le manteau droit va à tout le monde, indifféremment. Les petites devraient choisir une coupe conçue pour elles, pour ne pas perdre dans des mètres de grosse laine.

10 points à surveiller avant d'acheter

Voici un aide-mémoire regroupant toutes ces petites choses qu'on oublie de considérer avant de jeter son dévolu sur un manteau qui nous plaît.

1 Évitez le manteau blanc. À moins d'être propriétaire d'une blanchisserie ou reine du carnaval, c'est la couleur qui attire toutes les catastrophes. Le camel est la plus claire des couleurs permises.

2 Col étole et col châle: assurez-vous qu'ils se ferment bien. Sous l'halogène des boutiques, le décolleté qu'ils créent est chic, mais dans la tourmente, en janvier, vous grelotterez ferme.

3 Recherchez les manches coupées bien larges. Des emmanchures à large courbure et des manches amples vous assurent la liberté de mouvement indispensable si vous enfilez votre manteau sur une veste. Les manches doivent être assez longues pour éviter les poignets de chemise ou de veste mouillés.

4 Le manteau long se ferme jusqu'en bas ou presque. Sinon, comment un grand morceau de tissu ouvert sur vos jambes vous protégera-t-il du froid?

5 Le col ou le liséré de fourrure du capuchon sont détachables. Sans neige, on est toujours plus à l'aise sans fourrure.

6 Votre manteau a des poches bien placées et spacieuses. Par -20 °C, on a toujours horreur de fouiller dans son sac pour trouver ses clés. Sans compter que pour les mains, de bonnes poches sont une protection de plus. Évitez les poches à revers boutonnés, aussi encombrants qu'inutiles.

7 Le col se remonte aisément. Un atout pratique pour ajouter à votre arsenal de lutte contre les éléments.

8 Si le modèle choisi est ample ou à double boutonnage, il comporte des cordons ou un bouton à l'intérieur pour empêcher le vent d'y pénétrer. Une protection supplémentaire aussi astucieuse qu'indispensable.

9 Si vous portez souvent un sac à bandoulière, assurez-vous que l'épaule du manteau pourra l'accueillir sans qu'il tombe toutes les 30 secondes.

10 Les boutons sont de bonne qualité, bien fixés et on en fournit un ou deux exemplaires de rechange, sur le rabat intérieur du boutonnage.

C'est chaud ou pas?

Tous les lainages gardent bien et diffusent bien la chaleur. Ce qui fait la différence, c'est souvent la doublure.

▶ Oubliez les modèles confectionnés en Europe si vous êtes frileuse. Là-bas, les gens enfilent des passe-montagne et des bottes fourrées à -5 °C et sonnent l'état d'urgence à -10 °C.

▶ Sous sa doublure satinée épaisse et résistante, un bon manteau est entredoublé d'une bonne toile ou d'une jute épaisse pleine longueur; même chose dans les manches.

▶ Une entredoublure digne de ce nom, genre laine ou polyester, ou même une couche de Thinsulate et vous voilà prête pour les grands froids.

Quoi porter avec votre manteau?

Plus il est chic, plus les matières qui composent vos accessoires devront être raffinées. Pas question de sortir le foulard qu'on a tricoté à 12 ans avec un beau paletot tout cachemire! Voici quelques idées pour vous mettre sur la piste des meilleurs choix.

Avec un paletot long ou un manteau court

▶ Un chapeau en molleton (laine polaire). Plusieurs designers et manufacturiers ont su donner à cette matière des lettres de noblesse insoupçonnées.

▶ Des gants de laine pour tous les jours, des gants de cuir pour les occasions spéciales.

▶ Une chapska (une casquette munie de rabats qu'on peut nouer sur le dessus de la tête). En cuir doublé mouton ou fourrure pour les plus fortunées, en simili, en lainage ou autrement, sur doublure synthétique, pour celles qui le sont moins.

▶ Un calot de fourrure véritable.

▶ Un serre-tête en fourrure.

▶ Un foulard en lainage ou en cachemire.

▶ Une grande écharpe en chenille ou en laine bouclette tricotée main.

▶ Une écharpe en molleton polyester coloré (faites-la vous-même: le molleton ne coûte rien!)

▶ Un faux-col en belle laine angora.

Avec un manteau plus sport

▶ Un «bandito» en molleton (c'est un cache-col triangulaire fermé par une bande en velcro sur la nuque)

▶ Un bonnet en molleton à longue queue pour le ski ou la planche à neige. Plus on est jeune, plus on ose!

▶ Le foulard ultra-long comme dans les années 70. N'investissez pas trop, ça ne durera que quelques saisons.

▶ Une chapska (la même que tout à l'heure, évidemment)

▶ De grosses moufles en cuir ou en nylon, doublées mouton

▶ Un petit bonnet de marin en maille côtelée

▶ Un faux-col tricoté en laine bouclette

▶ Des gants de ski, une jolie casquette en feutrine (celles de marque Kangol, d'Angleterre, sont fort jolies et très à la mode).

▶ Des bottes de cavalière avec une redingote militaire. Exquis.

Impardonnables

▶ Le manteau trois-quarts avec la jupe qui dépasse. Portez un pantalon si vous n'avez pas de manteau long.

▶ La doudoune sur un tailleur-pantalon. Deux antago-nistes.

▶ Les bottes longues à haut talon avec la canadienne. Heureusement, on en voit peu!

▶ Le gros manteau garni de fourrure avec les escarpins fins. C'est comme mettre des bottes d'hiver avec un maillot de bain.

▶ Le gros bonnet tricoté avec un paletot chic. Payez moins cher le manteau et achetez-donc un joli chapeau.

▶ Le petit sac en verni par -20 °C. S'il n'est pas en cuir, il cassera. Bien fait.

▶ Des moufles pour autre chose que pour faire du sport. Quand on a plus de 15 ans, on porte des gants.

5.

Cuirs et suèdes

Une belle peau, à elle seule, peut tout *changer*

L e cuir et le suède, comme la fourrure, sont éternels et uniques. On n'achète pas un blouson de cuir comme un autre en jean ou en nylon. Le cuir, ça dure. Rien ou presque ne peut l'user. Vêtue d'un cuir, on a une allure, une démarche différente. Comme si son petit côté rebelle — qui se dilue d'année en année, mais demeure — faisait couler dans nos veines juste ce qu'il faut d'anticonformisme. Avec du cuir, on peut se prendre pour la femme-chat, pour James Dean ou jouer, comme Bardot, à celle qui n'a peur de personne. D'un point de vue plus terre à terre, une chose est sûre: avec un cuir ou du suède, on n'aura certainement pas peur du vent et du froid.

Le cuir et le suède, c'est deux. Le premier est fabriqué avec la face extérieure de la peau des animaux et le second avec l'envers. L'un est plus rigide, plus robuste et plus résistant, plus rocker aussi, par moment. L'autre est souple et velouté, plus élégant et plus sportif en même temps.

LE CUIR: UNE NOBLE PEAU

Dans la tête de plusieurs, cuir égale accessoires, manteaux et blousons. Mais depuis quelques années, c'est aussi de plus en plus des jupes, des pantalons, des surchemises et d'autres vêtements. En effet, le cuir d'aujourd'hui n'a plus grand-chose à voir avec l'image de rebelle clouté qu'il avait il y a 20 ans. Même le perfecto, qu'on a (trop, mais vraiment trop) porté est maintenant sagement rangé dans une housse au fond du placard de plus d'un *baby-boomer.*

Aujourd'hui, un beau pantalon de cuir va aussi bien au bureau qu'à un brunch en famille ou un week-end d'automne en amoureux. Il peut arpenter les bars aussi bien que les allées du supermarché. Il aime les gros tricots, les surchemises de laine, mais aussi les corsages sexy, le velours et tout ce qui fait chic. Et il n'y a plus que dans les milieux ultra-conservateurs qu'un beau pantalon ou une jupe en cuir fin fait encore sourciller. Conclusion: quand on sait choisir un modèle classique, on est équipé pour des années. Achetés avec soin, la jupe autant que le pantalon de cuir peuvent pratiquement nous suivre jusqu'à la tombe.

Le cuir provient principalement des bovins, mais est aussi fabriqué à partir de peaux d'agneau, de chèvre, de porc et d'une foule d'autres animaux dont l'autruche, l'éléphant, les phoques, les reptiles... On a même déjà tenté, il y a quelques années, de produire du cuir de morue! Quoi qu'il en soit, la très grande majorité des vêtements en cuir et en suède offerts sur le marché aujourd'hui sont fabriqués à partir de peaux de bovins de boucherie, de porc et d'agneau. Les autruches et tout le reste servent surtout pour la maroquinerie de luxe et la chaussure.

▶ Le cuir de vache est le plus répandu. Il compose la plupart des vêtements à prix abordable et sert aussi à la confection de sacs et de chaussures.

▶ Le cuir de veau est fin et souvent très, très cher. On en fait entre autres ce qu'on appelle du veau velours, un suède d'un velouté, d'une souplesse... et d'un prix insurpassables. On l'utilise pour les chaussures et les vêtements haut de gamme (Hermès, Gucci et compagnie, notamment).

▶ Le cuir d'agneau, plus fin, est utilisé essentiellement pour les vêtements et les gants. Il est plus cher, plus fin et plus chic que le cuir de vache. Comme pour le veau, il donne aussi un suède d'une souplesse exceptionnelle.

▶ On fait des gants et des vêtements de luxe avec du chevreau (qu'on connaît aussi sous le nom anglais de *kid*).

▶ La peau de porc sert principalement à la confection du suède. Elle fournit un suède de bonne qualité, très grenu. Sur l'endroit, la peau de porc fournit un cuir épais, utilisé notamment en sellerie.

Pourquoi si cher?

Qu'est-ce qui détermine le prix d'un vêtement en cuir? Outre la confection, la marque et la publicité dont elle s'entoure (toute griffe a un prix, inutile de s'étendre sur la question), le prix des peaux est bien sûr un facteur prédominant dans l'établissement du prix d'un vêtement de cuir.

Les peaux sont vendues aux manufacturiers par des grossistes qui, eux, les achètent dans des tanneries situées partout à travers le monde. Le prix des peaux, dans les tanneries jusque dans les boutiques où l'on vendra des produits finis, est fonction de la demande en viandes. Comme on mange de moins en moins de viande rouge mais qu'on continue à vouloir des vêtements de cuir, il s'est créé depuis quelques années un déséquilibre entre l'offre et la demande, ce qui a fait grimper les prix. D'autre part, comme le cuir de tofu n'a pas encore été inventé, il y a fort à parier que les prix continueront de monter dans les années qui viennent.

Donc, à peu près aucun animal n'est abattu uniquement pour son cuir. C'est en partie ce qui explique pourquoi le cuir d'agneau provient surtout d'Angleterre et de Nouvelle-Zélande (les gens de là-bas raffolent de l'agneau, on le sait).

Hormis les fluctuations mondiales des envies des gourmets, le travail qui entoure la confection d'un vêtement de cuir est lui aussi un point important pour fixer le prix. Les peaux sont classées dans des dizaines de catégories, selon leur épaisseur, leurs qualités, leurs défauts et une foule d'autres critères qui auraient besoin, pour être expliqués, d'un livre en entier. Grosso modo, il existe six catégories au tannage, qui se divisent chacune en quatre autres à la teinture, puis en un minimum de trois à la finition.

De plus, comme il n'existe pas deux peaux semblables sur le marché, un bon coupeur de cuir doit savoir associer des peaux qui ont le même aspect pour un même vêtement et ce travail, lorsqu'il est bien fait, donne des manteaux qui habituellement sont plus chers que les modèles bas de gamme, qu'on teint et qu'on vernit pour uniformiser les peaux qui les composent.

Vache maigre égale peau de chagrin

Toutes les peaux des animaux abattus pour l'alimentation sont utilisées pour faire du cuir, nous l'avons déjà dit. Bien sûr, les peaux parfaites, chez les bovins autant que chez les autres animaux, sont aussi rares que chez les humains. Chez nous comme chez eux, les plus jeunes ont les peaux les plus souples et les plus fermes. Les sceptiques n'ont qu'à mettre la paume sur un cuir d'agneau pour s'en convaincre. Dans le même ordre d'idées, un animal qui a passé sa vie dans un climat agréable et qui a été élevé dans des conditions idéales a toutes les chances de donner un meilleur cuir que le chétif quadrupède qui s'est décarcassé toute sa vie à tirer une charrette. Voilà qui donne à penser que les cuirs produits dans les pays riches et au climat relativement tempéré (Amérique du Nord, Italie et reste de l'Europe, Océanie), où les troupeaux sont bien traités, sont dans bien des cas un meilleur achat (parce que de meilleure qualité) que ceux qui proviennent de pays au climat sec ou trop chaud. Lequel devriez-vous acheter? Tout est une question de budget et de priorités. Tout le monde ne peut pas s'offrir un blouson à 800 $, même s'il est de très bonne qualité. La majorité d'entre nous doivent se contenter d'un cuir de qualité et de prix moyens, ce qui fait quand même très bien l'affaire.

Qualité et qualités: comment s'y retrouver

Achèterez-vous du cuir naturel, du cuir plongé, du cuir souple, du *nubuck?* Avant de décider, voyons ce qui se passe une fois le bovin transformé en bifteck.

Le tannage vise d'abord à stabiliser la peau (à l'empêcher de se décomposer) et on fera cela avec des produits chimiques et de la machinerie. Ce travail exige en moyenne 150 opérations différentes et environ un mois et demi de travail. À la suite du tannage, le cuir obtenu est teint et fini. Entre le jour de l'abattage et la coupe d'un manteau, il peut s'écouler jusqu'à neuf mois.

On doit ausssi savoir qu'une seule peau peut donner plusieurs fois sa surface en cuir une fois le travail de tannage terminé. On travaille la peau un peu comme du bacon, en la tranchant finement, à l'horizontale, pour en utiliser chaque parcelle.

▶ Les couches du dessus de la peau de l'animal sont les plus chères, les plus belles et les plus résistantes. C'est le cuir pleine fleur (ou *full grain,* en anglais).
▶ Les couches du dessous, appelées cuir refendu (ou *split*) ne sont pas mauvaises non plus, mais tout dépend de quelle couche il s'agit. Plus on s'éloigne de la surface de la peau, plus la qualité et la résistance s'en ressentent.

▶ Le cuir très laqué, dont la couche de teinture est très épaisse (examinez la peau sur l'épaisseur pour le constater) est souvent du cuir de piètre qualité qu'on a tout simplement «maquillé».

▶ Quand on arrive à la dernière couche de peau, le cuir est rêche et raide. Dans les qualités les plus moches, on peut même voir de petites pilosités plus claires à sa surface. Ce cuir-là, c'est souvent celui du perfecto de marché aux puces, vendu 99 $ «juste pour vous ma petite dame». Tenez-vous-le pour dit.

Et les finis?

▶ Le cuir naturel (chez les pros, on l'appelle cuir aniline) est fait à partir des plus beaux cuirs, car il ne requiert qu'un minimum de finition. C'est un peu comme si on mettait simplement un vernis transparent sur un beau morceau de bois franc. Avec du cuir naturel, on fait des sacs, des chaussures et des vêtements haut de gamme.

▶ Le cuir pigmenté (de couleur) est le plus courant. Si on en regarde l'épaisseur, on peut y voir la couche de couleur sur le dessus, un peu comme un mince glaçage sur un gâteau. En surface, on distingue légèrement le grain.

▶ Le cuir plongé est un cuir de vache qu'on a travaillé pour l'assouplir. C'est le meilleur cuir de vache qui soit. On en fait des manteaux et des pantalons sport.

▶ Le *nubuck* est un cuir qu'on a tout simplement sablé, puis légèrement poli. Son aspect mat fait tout son charme.

▶ Les cuirs vieillis ou traités sont huilés, sablés ou trempés dans des produits chimiques pour prendre un aspect vieilli. Ç'a longtemps été à la mode pour les blousons d'aviateurs chez les hommes et ça l'est toujours un peu. Mieux vaut ne pas investir trop d'argent dans des vêtements qui comportent ce type d'effets spéciaux, car la mode, même du côté des cuirs, passe aussi vite qu'ailleurs.

Acheter du cuir

Comment s'assurer de choisir ce qu'il y a de mieux en fonction du prix payé? Avec ce que vous venez de lire, je suis persuadée que votre tâche sera grandement facilitée. D'autant plus que bien souvent, les vendeurs n'y connaissent pas grand-chose et prétendent tous vous offrir ce qu'il y a de mieux au monde. Voici donc quatre points dont tenir compte avant d'investir dans un vêtement de cuir.

Combien?

Achetez mode à petit prix et classique à plus cher. Cette règle élémentaire, vous le savez, tient pour tous les vêtements, en cuir ou autrement. Les beaux cuirs et les classiques trouvent presque toujours preneurs avant les soldes de fin de saison.

Quand?

Comme pour les manteaux, les cuirs sont souvent soldés vers la fin de la saison. Généralement, on peut espérer des soldes aux alentours de la rentrée, en août, et début juin.

Où?

Le marché aux puces, le vendeur ambulant et la grande surface qui soldent leurs cuirs à prix incroyables sont des attrape-nigauds classiques où ni vous ni moi n'aurions l'ombre d'une idée de nous rendre pour acheter. Plus difficile de résister aux beaux petits modèles copiés des designers par certaines chaînes de boutiques, qui osent pratiquer des prix scandaleusement élevés pour des cuirs qui ne valent pas un clou. Préférez les spécialistes, les bonnes boutiques de chaussures, les grands magasins reconnus pour offrir de la qualité et les bonnes marques canadiennes, européennes ou américaines. Notez enfin que les boutiques indépendantes s'y connaissent mieux que personne et offrent un service hors pair, avec bonnes adresses pour les retouches et tout.

Comment?

Vous reconnaîtrez assez aisément un cuir de qualité. Comme la peau, il doit être souple, hydraté, lisse et brillant. Quelques points pour vous mettre sur la bonne piste:
▶ Le cuir souple, comme son nom l'indique, doit être fluide, doux, «mouillé» au toucher. Retournez-le, glissez votre main entre la peau et la doublure, froissez-le. S'il est trop épais pour le faire, vous sentirez quand même qu'il est doux, uniforme, presque vivant. Si le cuir est raide et sec, changez de modèle... ou de boutique.
▶ Frottez énergiquement le cuir contre la main, dessous comme dessus, pour en vérifier le teint. Si la moindre trace de couleur se retrouve sur votre main, ce n'est pas bon signe.
▶ Regardez le cuir de près. Plus on voit le grain, mieux c'est. Quand on ne le voit pas, c'est dans neuf cas sur dix la preuve que c'est du cuir refendu. Dans ce cas, assurez-vous que la quantité de teinture et de vernis employés ne sert pas uniquement à maquiller un cuir de qualité médiocre. Votre toucher, généralement, ne vous trompera pas.

LE SUÈDE

On l'obtient en travaillant la peau sur l'envers. Elle est délicatement polie, jusqu'à ce que se soulèvent les fibres de la peau. Plus ces fibres sont fines, plus cela signifie que la peau est de qualité et qu'on a accordé du soin à la finition. Le suède est généralement moins cher que le cuir, parce que même les peaux qui ne sont pas parfaites peuvent donner un suède de qualité. Les suèdes de porc, que l'on reconnaît à leurs pores bien visibles, sont réputés comme étant parmi les meilleurs disponibles.

Pour reconnaître un suède de qualité, on conseille de le caresser avec la main. Les poils doivent être fins et doux. Les meilleurs suèdes moirent comme du velours au toucher.

À l'inverse, le suède bon marché est sec et raide. On peut souvent voir en surface de petites fibres blanches ou grisâtres, qui s'en détachent facilement. Le suède de piètre qualité est souvent imbibé de colorant pour garder sa forme. S'il sent la teinture plus que le cuir, frottez-le énergiquement avec la main. Si de la couleur se transfère à votre peau, n'achetez pas, car cela indique que la teinture a été mal faite et que la couleur risque de déteindre sur vos vêtements.

Acheter du suède

Les mêmes consignes prévalent pour le cuir et le suède. N'achetez pas n'importe où et rappelez-vous que, quel que soit le prix payé, dans les limites du raisonnable évidemment, vous en aurez à peu près toujours pour votre argent. Quand on solde un vêtement de suède à prix incroyable, on ne le fait pas pour vos beaux yeux, mais bien parce qu'on veut le vendre et même à 50 % de rabais, on fait encore des profits dans la majorité des cas.

Fragile, le suède?

Et comment! Il ne comporte pas de vernis ou de laque comme le cuir. Résultat: tout ce qui est liquide et qui lui tombe dessus est rapidement absorbé et peut laisser des traces. Ses pires ennemis sont les corps gras. Une goutte de vinaigrette sur un jean de suède est une catastrophe à laquelle il n'existe à peu près pas de remède. Un produit de protection vaporisé régulièrement sur vos vêtements peut limiter les dégâts et il existe aussi des trucs pour le détacher. Vous trouverez plus de détails là-dessus dans le chapitre consacré à l'entretien des vêtements.

LE CUIR DANS VOTRE GARDE-ROBE

Le pantalon et la jupe de cuir, nous l'avons déjà dit, se portent pratiquement partout. Ne comptez pas sur eux, toutefois, pour vous allonger la silhouette. Car plus il est laqué, plus le cuir grossit. Donc, si vous avez les fesses et les cuisses fortes, un beau pantalon de suède foncé vous conviendra beaucoup mieux que leurs semblables en cuir.

Le pantalon

Quel merveilleux dépanneur, tellement confortable et surtout, s'il est bien choisi, incroyablement indémodable.

Préférez le pantalon de coupe classique, en cuir d'agneau ou en suède de qualité, sans piqûres, rivets ou fioritures, pour les tenues chic et le bureau. Le noir est bien sûr votre meilleur choix. Choisissez un modèle doublé en entier ou jusqu'à mi-mollet et un pantalon dont la jambe, à l'avant, est faite d'une seule peau, ce qui vous assure d'un pantalon qui tombe parfaitement.

Faites tomber un à un les préjugés sur les vêtements de cuir en les coordonnant à ce que vous avez de plus chic: ceinture ou foulard griffés, belle veste en tweed, pull en laine d'agneau de couleur vive (ou en cachemire si vous avez les sous), beau chemisier de soie. Puisqu'il est noir, les couleurs vives et «punchées» lui iront beaucoup mieux que les neutres et le foncé.

Un autre bon choix: le jean en cuir, qui vous suivra pendant des années, de septembre à avril. Il est facile d'entretien, indéchirable et inusable. Préférer le classique au dernier cri est l'évidence même. Le cuir naturel est plus sport, le cuir lisse, en noir, est plus chic, mais cela dépend aussi du modèle choisi. Si vous aimez le style rockeuse, il y amplement de quoi vous satisfaire sur le marché.

Votre jean en cuir aime les vestes sport, le chemisier blanc et le gilet, le gros pull tricoté main, le grand châle en lainage et les belles ceintures sport.

Impardonnables

▶ Le jean de cuir serré à outrance, les *chaps,* les franges et toute la panoplie rock n'roll comme «dans le temps». À éviter, à moins que votre ami de cœur ne soit motard ou musicien dans un groupe *heavy metal.*

▶ Le cuir en «kit», pantalon violet, veste violette. Ne manque plus que les chaussures et le sac de même couleur pour décrocher le titre de reine des «kitschettes».

▶ Une allure de festivalière de Saint-Tite pour aller au bureau, avec bottes pointues et blazer à revers de cuir. Une cravate bolo, avec ça?

▶ Le cuir avec une avalanche de joyaux de diva: bracelet à breloques, grosses boucles d'oreilles, colliers multipliés. Difficile de se faire prendre au sérieux avec pareil attirail.

La jupe

Grande amie des vestes de tous vos tailleurs, elle est à la fois sport et chic. Vous aimerez en avoir une en suède ou en cuir ou, pourquoi pas, une dans chacune de ces matières.

Préférez les modèles simples. Le noir et les couleurs neutres auront bien sûr votre préférence. Avant d'acheter, assurez-vous que les boutons sont solides, la finition irréprochable et les modèles doublés de tissu satiné de belle qualité. Une bonne longueur d'ourlet est aussi une bonne idée: on ne sait jamais, l'idée vous prendra peut-être de la faire allonger. Et ça se fait comme un charme.

Les bonnes boutiques de cuir connaissent les adresses où faire effectuer de telles retouches.

Avec une jupe en suède

Un pull en jacquard montagnard, un collant côtelé et des flâneurs, pour faire la tournée des antiquaires ou marcher dans les rues aux trottoirs couverts de feuilles mortes; portez aussi votre jupe avec un pull long en tricot bouclé, des gants de cuir et un beau foulard; avec un chemisier d'un tissu de bon poids ou une veste à revers en suède de même couleur que la jupe.

Avec une jupe de cuir

Comme pour le pantalon de cuir, la jupe mérite d'être bien entourée et tolère mal la pacotille. Allez-y avec des bijoux dorés qui font «vrai», un foulard de soie, un chemisier qui a de la classe, une veste galonnée à boutons ultrachic, et ainsi de suite.

Impardonnables

▶ La mini en cuir et les talons aiguilles. Il ne manque plus que le collant résille et vous pourrez changer de métier... Même chose avec la jupe ultra ajustée et son corsage décolleté.

▶ Le modèle très long, à quilles. Lourd, encombrant, démodé.

▶ La jupe de cuir et le perfecto. Trop, c'est trop.

Le blouson

Quand on n'en achète qu'un, en général, c'est pour des années. Pour cette raison, vous aurez deviné qu'il faut à tout prix éviter le cuir de couleur et le modèle tendance que tout le monde s'arrache; dans deux saisons, vous ne pourrez plus le voir en peinture.

Préférez la qualité et le confort plutôt que le clinquant et l'allure mode. Les blousons les plus polyvalents sont bien sûr les plus simples: modèle droit à zip central, manteau trois-quarts à gros boutons. Outre les critères de qualité mentionnés précédemment à propos du cuir, examinez la doublure, les zips (en métal toujours), les boutons-pression et les boutons. Assurez-vous qu'ils sont solides, résistants et bien installés. Le noir fait plus rebelle et plus jeune, le brun plus chaleureux et plus naturel.

Le blouson est un vêtement sport. Donc, pantalon ou jean et, pour certains modèles plus longs ou ceinturés, jupe décontractée, genre portefeuille en lainage ou modèle court ligne A en velours côtelé.

Si vous optez par contre pour un trench ou un manteau trois-quarts, la dynamique change du tout au tout. Votre manteau aimera les jolies robes, les tailleurs et tout ce qui est raffiné comme lui.

Impardonnables

▶ Le perfecto ou le blouson avec la jupe chic qui dépasse. Ne riez pas, on en voit tous les jours. Idem pour le pantalon chic avec blouson de moto.

▶ Le manteau de cuir exige une certaine prestance, du caractère. Ne gâchez pas tout en le couplant à une tenue sport ou d'allure trop négligée.

▶ Le haut épais et le bas léger, c'est-à-dire, gros manteau de cuir sur collant diaphane et petites chaussures. Le manteau de cuir est une «masse» qui peut facilement écraser n'importe quelle silhouette. Prévoyez impérativement un collant opaque avec des chaussures plus massives, à talon ou de couleur foncée, des bottillons ou des bottes.

Du cuir et du suède autrement

▶ Une belle chemise en chamois ou en suède d'agneau, qu'on porte à même la peau, sur un T-shirt ou comme une veste.

▶ Un gilet (ce n'est pas un pull, mais bien une petit veste sans manches) de couleur neutre ou foncée. Zippés pleine longueur, ils sont magnifiques. Enfilez-en un sur un col roulé ou un beau chemisier.

▶ Une veste et un gilet en suède velours. Cher, mais chic.

▶ Un petit blouson de suède coupé comme son cousin en jean.

▶ Une robe de cuir, comme dans la chanson. C'est extra, surtout si vous savez la choisir sobre, question d'éviter les coups de klaxon sur la rue. Entourez-la de vos plus beaux atours pour faire tourner les têtes.

C'est la bonne taille?

Le cuir s'étire seulement s'il est forcé. Et ce faisant, il se déforme et quoi que l'on fasse, il ne reviendra jamais comme avant. La solution? Acheter un peu plus grand que trop ajusté. Un vêtement plus ample est toujours plus chic et en plus, il gardera sa forme plus longtemps.

Un truc champion aussi pour limiter les inévitables genoux bombés sur le pantalon: rangez-le toujours la taille en bas, sur un cintre à pantalon, immédiatement après l'avoir enlevé. Le poids du pantalon suffit à éviter que le cuir ne bombe trop. N'oubliez pas non plus de le placer à plat, et non plié sur le côté. Un pli central sur la jambe d'un pantalon de cuir lui enlèvera tout son style.

Des imitations à considérer

Le cuir a des concurrents synthétiques qui le talonnent de plus en plus près. La «cuirette» de jadis n'a plus rien à voir avec les innovations que proposent les nouveaux magiciens du textile. Quelques belles matières à surveiller:
▶ **Le suède lavable.** C'est en fait un nylon. Ne me demandez pas la recette, mais cela tient du prodige. Chantal Levesque de Shan en utilise depuis des années pour ses maillots, qui vont en piscine, dans l'eau de mer et dans la lessiveuse avec un égal bonheur. Il ressemble à du chamois, il est souple, confortable et ne tache pas. On commence à en trouver du côté des pantalons et des jeans.

▶ **Le skaï**. On ne le réservait auparavant qu'à l'ameublement. Il s'agit d'un vinyle souple, presque élastique. Le styliste français Jean Colonna l'a sorti de chez les rembourreurs il y a quelques années et on en fait de bien beaux pantalons, des jupes et une foule d'autres vêtements. Il a la même souplesse que le cuir et un look qui lui ressemble. Le seul hic: on n'a pas encore trouvé le moyen de le faire respirer. Donc, il peut devenir chaud si on le porte lontemps.

▶ **Le vinyle**. On a désormais bien plus de choix que le classique plastique lustré, jadis réservé aux audacieuses et aux danseuses de cabaret. Les compagnies de jeans (Parasuco et Guess, notamment) nous en proposent en version légère, presque *stretch,* à texture croco, sous forme de toile enduite de plastique et d'une foule d'autres manières. Bien coordonné, ce vinyle-là peut aller loin. C'est sans contredit l'une des matières à surveiller au cours des prochaines années.

6.

La fourrure

De bons poils pour attaquer *le froid*

R ien qu'à écrire le mot «fourrure», je vois déjà se plisser des sourcils et je sens s'accélérer le pouls des écologistes. Remettons les choses à leur place. Les top-modèles ont tout à fait le droit de poser nue derrière des banderoles pour protester et madame B., du fond de sa Côte d'Azur — où les bises nordiques sont finalement assez rares, il faut avouer —, a tout à fait raison de s'indigner de la cruauté exercée à l'endroit des animaux. Reste que je m'étonne quand même toujours du fait que nul ne pense à venir brandir des pancartes contre la fourrure ces lundis de janvier où nous, on doit serrer les dents et marcher à reculons pour affronter un -30 °C assaisonné de vents du nord-ouest. Désolée, mais on n'a encore rien trouvé de mieux pour se réchauffer qu'un bon manteau de fourrure.

Cela dit, il était plus que temps que ce débat sorte de notre placard. Ce qui fait qu'aujourd'hui, choisir ou non de la fourrure véritable est une décision strictement personnelle. Nous avons compris que ce qui compte vraiment, c'est de choisir de la qualité et de porter un vêtement qu'on aime, peu importe qu'il soit coupé dans du lainage, du vison naturel ou dans son clone synthétique. De toute façon, qu'on soit pour ou contre la fourrure naturelle, plusieurs d'entre nous n'ont pas le chèque de paie requis pour se frotter le menton à un col de vison.

Donc, ce ne sont pas les idées ni les opinions qui priment pour faire votre choix entre une fourrure véritable ou du synthétique. Le premier facteur dont il faut tenir compte, ce sont les sous! En effet, une fourrure véritable de bonne qualité vous coûtera très certainement dans les quatre chiffres, alors que vous pourrez trouver un manteau en matière synthétique honnête pour environ 200 $. Enfin, quel que soit votre choix, l'important, c'est d'acheter intelligemment et de choisir votre manteau comme toutes les autres bases de votre garde-robe: selon vos besoins et en fonction de ce que vous avez déjà dans votre placard.

Quand acheter un manteau de fausse fourrure? Dès le 26 décembre, parfois même avant. Si vous devez porter une taille moins usitée (autre que le 8, le 10 et le 12, que tout le monde s'arrache), vous pouvez vous permettre d'attendre jusqu'au début février, où se tiennent habituellement les derniers soldes d'hiver. Toutefois, vous vous en doutez, plus vous attendrez, plus les risques de n'avoir le choix qu'entre un manteau rose fluo et un autre jaune canari seront grands.

Même chose pour les manteaux de fourrure véritable: plus on se rapproche du printemps, plus leur prix est à la baisse. Dans ce secteur, les réductions sont souvent impressionnantes en juillet, puisque c'est le mois qui précède l'entrée en magasin des nouveaux modèles.

Synthétiques et simili: une distinction

Sachez d'abord qu'en matière de synthétique, on trouve deux qualités. La première s'apparente davantage à la robe des *teddy bears* qu'à quoi que ce soit qui ressemble de près ou de loin à de la fourrure naturelle. Au risque d'égratigner au passage quelques manufacturiers, nous appellerons cette première catégorie la peluche, bon marché, amusante, qu'on peut aussi bien trouver en garniture sur les tricots, pour les accessoires, du côté des manteaux pour enfants et pour la confection de leurs jouets. Cette matière, habituellement tout polyester, est promise à un bel avenir et occupe de plus en plus de place sur le marché. Pourquoi? Entre autres parce qu'on vit depuis quelques années un regain d'intérêt pour le kitsch — les pantalons à carreaux, les chemises en fortrel et tout le reste —, surtout chez les jeunes qui souvent lancent les modes avant que tout le monde ne les adopte. En plus, «l'affrontement» entre les tenants de la vraie et de la fausse fourrure s'est soldé par un match nul. Les clameurs se sont tues, comme on dit, et chacun est retourné à ses affaires... et à ses stratégies pour se gagner une part du marché. On trouve encore certains manufacturiers qui cherchent à tout prix à imiter la fourrure naturelle, mais les gagnants seront ceux qui n'auront pas peur de dire bien haut qu'ils offrent du synthétique pour le plaisir de la chose et non pour tirer dans les pattes des fourreurs.

Depuis quelques années, donc, les manufacturiers ne cherchent plus nécessairement à faire en sorte que leurs produits ressemblent à de la fourrure véritable à tout prix. «S'il faut donner dans le synthétique, jouons le jeu jusqu'au bout», se disent plusieurs d'entre eux. On leur doit un coup de chapeau pour cette sage décision. Un petit parka couleur d'orangeade, un gilet ou une toque en «minou» bleu électrique, c'est bien agréable à porter pour une ou deux saisons, surtout au prix où sont offertes ces petites fantaisies. Un grand nombre de fabricants de manteaux ont donc ajouté une ligne «peluche» à leur collection de manteaux usuelle et on peut habituellement se les procurer aux mêmes prix que des manteaux en lainage de qualité moyenne ou bas de gamme.

La peluche convient à celles qui aiment le changement, qui suivent la mode de très près et, évidemment, qui sont à l'aise dans les vêtements, disons, plus exubérants.

Un parka en peluche imprimée peut se vendre en pleine saison autour de 200 $. Sa durée de vie est plutôt courte, puisque avec le nettoyage à sec, il perdra bien vite son charme des premiers jours. N'empêche qu'il peut être amusant... si ce n'est pas le seul manteau qu'on a dans son placard. Pensez-y un peu: oseriez-vous mettre le pied dans un resto chic et cher avec le même petit manteau à imprimés Mickey Mouse que vous portez pour aller glisser avec les enfants?

Si vous aimez les classiques et que, lorsque vous achetez un manteau, c'est pour quatre ou cinq ans, la peluche n'est pas un achat qui vous convient. Préférez la fausse fourrure, la fourrure véritable ou les manteaux en tissu.

CHOISIR UN MANTEAU EN PELUCHE

▶ Magasinez d'abord en fonction du prix, puisque la durée de vie de ce vêtement sera courte de toute façon. Il aura beau être fabriqué pour résister à la retraite de Russie, vous vous en lasserez bien avant qu'il ne s'use. Donc, à plus de 250 $, c'est un pensez-y bien.

▶ Évitez le blanc et les couleurs très claires, qui vous coûteront la peau des fesses en nettoyage à sec (et qui ne reviennent jamais complètement propres quoi qu'on fasse). Le foncé, noir en tête, est le meilleur camouflage pour la saleté et les taches.

▶ Assurez-vous que si le manteau est fermé par une glissière, la fourrure est bien dégagée tout autour et ne risque pas de venir bloquer l'enclenchement de la fermetureéclair, un cauchemar pour les impatientes et toutes celles dont l'emploi du temps est serré.

▶ Tirez le poil avec le bout des doigts: plus il s'en détache du manteau, plus vous aurez raison de vouloir l'acheter à rabais, puisque c'est signe qu'il ne vaut pas cher.

Soyons chic

▶ La peluche a un côté ludique certain et s'accommode très bien de tout ce qui fait jeune: jupe ligne A, collant opaque de couleur, cache-oreilles et barrettes en plastique, accessoires voyants et ainsi de suite. Elle fait aussi une compagne exemplaire pour le jean.

▶ C'est le manteau parfait pour le patinage ou le toboggan les dimanches après-midi. Long, vous le mariez à un beau collant de laine de couleur. Il ne restera plus qu'à enfiler vos patins pour aller faire tourner les têtes à la patinoire du quartier. Court, il fera merveille avec un *legging* ou un jean de couleur neutre.

▶ La peluche n'a besoin de rien d'autre que d'une jolie couleur pour se faire remarquer. Aussi, côté accessoires, la modération est de bien meilleur goût. Soyez minimaliste: foulard, gants et bonnet de laine foncée.

Impardonnable

▶ Le manteau de peluche avec la panoplie d'accessoires de même matière. De grâce, oubliez le sac à dos nounours, les moufles ou le bonnet à pompons, qui, de toute façon, ne vont à personne passé 12 ans.

▶ Le style *glamour* marié à la peluche: ils ne sont pas faits l'un pour l'autre et vous donneront un petit air bon marché qui n'est peut-être pas exactement votre genre. Ainsi, la peluche cohabite mal avec une belle veste ou une tenue du soir, avec des talons hauts, des perles ou de l'or vrai ou faux et avec tout ce qui brille. Dans la majorité des milieux de travail (les médias et les secteurs «créatifs» font exception), à moins d'une journée cabane à sucre du club social, oubliez ça.

▶ La peluche sans neige a le don d'avoir l'air ridicule. Péchez par orgueil et grelottez dans votre manteau de cuir plutôt que d'enfiler votre manteau de poils avant que le sol ne soit blanc.

LA FAUSSE FOURRURE, UN IMPOSTEUR DE CLASSE

Je classe dans une seconde catégorie les fourrures synthétiques, c'est-à-dire toutes les matières conçues pour imiter la fourrure naturelle. Vison artificiel, faux castor, renard simili... Le terme «fausse fourrure» est un non-sens en soi, puisque qui dit fourrure dit peau de bête, mais bon, c'est quand même le seul terme qui lui convienne vraiment. De meilleure qualité que la peluche, la fausse fourrure est aussi offerte à des prix plus élevés. Un bon manteau «façon» castor peut facilement aller chercher dans les 500 $ et ne se trouve pas nécessairement aux mêmes endroits qu'un petit blouson en peluche imprimée.

Ce qui est dommage, c'est qu'on en voit de moins en moins. La fourrure artificielle demeure disponible dans certains grands magasins et boutiques de grandes chaînes.

Toutefois, il semble bien qu'elle soit devenue une espèce en voie de disparition. Si les compagnies qui en fabriquent encore offrent souvent des séries complètes de modèles d'un *quétaine* appuyé, un manteau classique en «vison» synthétique peut être tout simplement magnifique. Et c'est ce que vous devriez privilégier au lieu de tomber dans le piège du *fun fur* tacheté fuchsia ou anisette, dont vous vous lasserez bien avant la fin de son premier hiver.

La fourrure artificielle est fabriquée le plus souvent avec du modacrylique, une fibre synthétique créée par Union Carbide après la guerre. Il en existe diverses qualités, dont certaines mériteraient d'être classées dans les peluches, alors que d'autres ont ce qu'il faut pour se retrouver sur les passerelles des défilés ici et en Europe.

Si on la voit moins en manteau complet, la fausse fourrure demeure un choix imbattable pour servir de garniture à des manteaux en tissu, à des pulls ou à des accessoires. La designer montréalaise Hilary Radley, dont les manteaux sont toujours superbes, est entre autres de celles qui ont fait la preuve que la fausse fourrure peut avoir du chic et du chien.

Ses avantages? Elle ressemble à la fourrure naturelle, parfois à s'y méprendre. Ce qui veut dire que de loin, l'illusion est parfaite, mais en pleine lumière ou à cinq mètres, la comparaison ne fait pas le poids. Encore là, ce n'est pas ce qui importe. Un beau manteau de lainage bordé de fourrure synthétique peut être tout simplement magnifique!

Préférez les manteaux à poils ras, d'une teinte d'allure naturelle et de coupe sobre. Même avec des trésors d'imagination, vous n'arriverez jamais à donner la moindre élégance à un manteau façon panne de velours vert émeraude ou bleu roi.

Choisir un manteau en fausse fourrure

▶ Un manteau de bonne qualité est fait de «poils» montés sur du coton ou de la toile. La fausse fourrure ayant une base en tricot ne vaut pas cher (et si vous l'achetez, assurez-vous justement que vous ne paierez pas cher). Vous la démasquerez rapidement en retournant le manteau. Si c'est impossible, tirez la fourrure simultanément dans deux directions différentes. Si elle s'étire, c'est du tricot.

▶ Lisez les étiquettes: la fausse fourrure tout acrylique est inflammable. Un bout de cendre de cigarette pourra causer un trou béant dans votre beau manteau. Les fausses fourrures en mélange modacrylique et acrylique brûlent moins facilement. Un indice: généralement, les fausses fourrures de meilleure qualité sont fabriquées en Amérique du Nord ou en Europe. Ce qui vient d'Orient est en général du bas de gamme qui ne vaut pas toujours le prix déboursé.

▶ Les détails qui ne trompent pas: la doublure satinée, finie à la main à l'ourlet; des agrafes ou des boutons intérieurs pour vous garder encore mieux au chaud.

L'aubaine, pour un manteau de fausse fourrure de qualité acceptable, ne devrait pas vous coûter moins de 250 $. En-deçà de ce prix, soyez vigilante: examinez votre future acquisition sous toutes les coutures avant de sortir votre portefeuille.

Soyons chic
▶ Se donner des airs de tsarine fraîchement débarquée de Russie n'est peut-être pas la meilleure chose à faire. Tout le monde sait que le commun des mortels n'a pas le fric pour faire son marché vêtu de zibeline. Une approche plus réaliste et plus sobre est vivement conseillée. Jouez donc franc jeu et n'ayez pas peur d'afficher franchement votre penchant pour le synthétique.
▶ L'avantage d'une fausse fourrure sur une fourrure naturelle, c'est qu'elle est moins fragile et moins capricieuse. Sortez-la dans les bars enfumés, asseyez-vous dessus au cinéma, portez-la sans crainte les jours de grande gadoue ou sous le verglas, pour magasiner, pour aller travailler, avec un jean, une robe chic... N'est-ce pas parce qu'elle est pratique que vous avez décidé de l'acheter?
▶ Côté accessoires, choisissez selon le style de votre manteau. Le faux manteau coupé classique aime les foulards de soie ou de laine d'agneau, les tricots fins, le cuir. Le

manteau plus coloré, plus sportif et plus exubérant s'accommodera d'accessoires de teinte unie, en laine.

Impardonnable

▶ La fausse fourrure mouchetée, tachetée, bigarrée. Elle donnerait l'air d'une perruche même à Claudia Schiffer. Si vous y tenez absolument, essayez la fausse fourrure façon ocelot, léopard ou autre fauve de la jungle. C'est plus tendance.

▶ Les découpes compliquées, la passementerie dorée, les pièces de cuir ou de tissu. Autant de mosaïques qu'on a trouvées fascinantes en 1980, mais qui nous étourdissent aujourd'hui.

▶ Comme pour la peluche, voilà un manteau vraiment hors contexte pour marcher dans les feuilles mortes. Avant la neige, prière de s'abstenir.

▶ N'associez pas d'accessoires en fourrure naturelle à votre manteau synthétique. Si elles se sont réconciliées, ça ne veut pas dire qu'elles vont bien ensemble! Il faut bien l'avouer, le synthétique de la meilleure qualité du monde n'est jamais aussi beau que la fourrure naturelle. Même un petit chapeau en fourrure véritable parviendra à éclipser votre manteau de fausse fourrure.

LA FOURRURE VÉRITABLE

Elle est authentique, écologique, durable et recyclable presque à l'infini, bref, je ne vous cacherai pas que j'ai un net penchant pour la fourrure véritable, matière naturelle par excellence quoi qu'en disent ses détracteurs.

Une bonne fourrure peut vous coûter aussi cher qu'une voiture. Vous pouvez choisir une petite japonaise usagée bien entretenue ou une grosse américaine flambant neuve. C'est votre droit le plus légitime. Cette comparaison s'applique aussi à la façon dont on devrait acheter une fourrure. Non seulement en raison de son prix, mais aussi parce qu'un manteau de fourrure durera plus longtemps qu'une voiture.

Parlons d'argent

Comme pour n'importe quel investissement important, commencez par voir quelle somme vous voulez consacrer à votre manteau. Comptant ou à crédit, n'oubliez pas d'ajouter à cette somme des frais annuels pour l'entreposage, pour l'assurance et pour l'entretien du manteau ou les réparations, le cas échéant.

Ensuite, si vous habitez une grande ville, faites la liste des détaillants que vous allez visiter et assurez-vous que chacun d'entre eux a une réputation à la hauteur de ses prétentions. Rappelez-vous notre histoire de voiture de tout à l'heure: vous n'achèteriez certainement pas un véhicule sur un coup de tête uniquement parce que le vendeur est gentil et que la couleur de la voiture vous plaît.

Dans les grands centres urbains, on organise depuis quelques années, souvent en automne, des liquidations de manteaux de fourrures provenant, dit-on, de liquidateurs de faillites et ainsi de suite. Ces événements ponctuels, annoncés à grand renfort de publicité télévisée, sont conçus pour attirer les consommateurs impulsifs et une fois terminés, disparus le service après-vente, les promesses, la garantie. Mieux veux payer un peu plus pour de la qualité en visitant un fourreur qui a pignon sur rue, car vous avez peu de recours contre ces «liquidateurs» en cas de pépins.

Parlons peaux

Renard, vison, raton-laveur, castor, loutre? Laquelle choisir? Prenez une décision en vous basant sur le prix, mais aussi sur votre style vestimentaire et sur l'usage que vous réservez à votre fourrure.

▶ Le vison, la zibeline et la martre sont considérés comme des fourrures chic. Le fourreur vous dira que tout dépend de la coupe et du type du manteau, et il n'aura pas tort. Car même si les designers tentent depuis des lustres d'en faire les compagnons du jean et des grosses bottes fourrées, le vison et tout ce qui l'égale sont synonymes de *glamour,* de grandes occasions et de belles sorties.

▶ Le mouton, le renard, le lynx, le raton-laveur (qu'on appelle aussi «chat sauvage», sans que j'aie réussi à trouver pourquoi), la loutre et le rat musqué sont des fourrures tout aussi ravissantes que les précédentes, mais sont auréolées d'une image plus conviviale, plus «tous les jours».

▶ Le castor, après avoir été longtemps cantonné dans le placard de «mononcle» Alphonse sous forme de «capot», a pris depuis quelques années de magnifiques lettres de noblesse. Il est souvent rasé, de plus en plus teint et se classe parmi les plus belles fourrures du monde. On devine que le Canada en est le principal producteur. Ce gros rongeur a beau apparaître depuis près d'un siècle sur les pièces de 5 cents, il n'en demeure pas moins que c'est l'une des fourrures les plus chères sur le marché, si on écarte systématiquement la zibeline et autres raretés réservées aux milliardaires.

► Le renard, comme toutes les fourrures à poils longs, ne convient pas nécessairement à tout le monde. D'autant plus que la mode penche de plus en plus vers les fourrures rasées. Les silhouettes replètes et les formes généreuses devraient se tourner vers autre chose.

► La peau de mouton se retrouve chez le fourreur dans une foule de variantes. Les plus courantes:

• la peau lainée — le *sheepskin,* si vous préférez — une peau de mouton retournée dont on fait de magnifiques manteaux sport;

• le mouton de Mongolie, très en vogue au temps des hippies et qui, comme tout ce qui appartient aux années 70, est en voie de revenir en vogue;

• le mouton de Perse, ou astrakan, qui provient en fait d'un très jeune agneau de race caracul, élevé en Asie centrale. Notons qu'on appelle aussi astrakan un lainage velu qui a le même aspect.

Le vison et le rat musqué rasé font partie des fourrures légères. Elles conviennent mieux aux petites femmes et à celles de stature délicate que les fourrures plus lourdes telles le castor, la loutre ou le raton-laveur.

L'art du fourreur: un travail de moine

À première vue, faire un manteau de fourrure semble tout simple. On prend les peaux, on les tanne, on coud tout ça ensemble et puis voilà. Or, le travail de tannage ne représente qu'une infime portion des opérations qui ont lieu avant d'arriver au produit fini. Comme toutes les opérations qui suivent le tannage comptent pour une part importante du prix d'un manteau, en savoir plus long sur la question ne nuira pas si on n'a pas d'argent à jeter par les fenêtres.

En premier lieu, disons que l'artisan fourreur ne peut pas coudre les peaux les unes aux autres et espérer que ça fasse joli. Du moins, pas dans tous les cas. Pourquoi? Simplement parce qu'il n'y a pas deux animaux semblables. Chaque pelage possède une couleur qui lui est propre et donne une peau d'une longueur et d'une largeur distincte. Bien sûr, un vison naturel reste un vison naturel et dans l'industrie, il est classé par teinte pour faciliter le travail. Mais comme la fourrure est une matière première qui vaut parfois plus que son pesant d'or, la moindre parcelle doit être utilisée. C'est pour cette raison qu'on a inventé des techniques de confection. C'est un des facteurs, sinon le facteur, déterminant dans le prix d'un manteau. Ces techniques de confection sont les suivantes.

▶ **Peaux allongées**
Cette technique, qui requiert une patience d'ange de la part du fourreur, explique peut-être pourquoi la relève continue d'être attendue de pied ferme dans ce secteur de l'industrie du vêtement. En effet, chaque peau est minutieusement découpée en très fines bandelettes, à la diagonale, puis ces bandelettes sont assemblées une à une, à la manière d'une mosaïque, pour constituer le manteau. Ce

jeu de patience permet d'éviter les coupures visibles entre les peaux, mais aussi d'en utiliser et d'en rentabiliser chaque petit bout. Les manteaux en peaux allongées sont les plus abordables, parce que la teinte des peaux utilisées fait l'objet de moins de recherches et que ces manteaux requièrent moins de peaux que les autres.

▶ **Peaux semi-allongées**
La technique est la même que précédemment, à ceci près que les bandelettes sont plus larges. Les manteaux confectionnés de cette manière nécessitent des peaux plus parfaites, de teintes harmonisées. Ils sont généralement plus coûteux que ceux réalisés à l'aide de peaux allongées.

▶ **Pleines peaux (comme dans «vison pleines peaux»)**
Il s'agit d'un manteau dont les peaux n'ont pas été coupées, ou presque. Elles sont simplement cousues les unes aux autres. Cette technique de confection est la plus chère, car c'est elle qui cause le plus de pertes, mais également parce que pour le fourreur, dénicher des peaux dont les teintes s'harmoniseront parfaitement pourrait se comparer (j'exagère, mais à peine), à la quête du Saint-Graal. C'est ce qui explique qu'un nombre croissant de manufacturiers teignent les fourrures avant d'avoir recours à cette technique.

Bienvenue dans la jungle de l'étiquetage
L'étiquetage des vêtements en tissu est réglementé, mais celui des fourrures, contre toute attente, ne l'est pas. Une étiquette détaillée et complète est une excellente

façon de vous assurer que vous faites affaire avec un commerce qui mérite votre argent si durement gagné.

Sur cette étiquette, devraient apparaître au moins **six** éléments:

1 Le type de fourrure (raton-laveur, loutre, vison...)

2 La classification de peaux employées (il y en a des dizaines, qu'il serait trop compliqué d'énumérer ici)

3 Le pays d'origine des peaux

4 La longueur du manteau de l'épaule à l'ourlet

5 La mesure de la jupe, soit la circonférence du manteau à l'ourlet

6 La technique de confection employée

Choisir un manteau de vraie fourrure

Avant d'acheter, magasinez. Les prix varient peu, mais certains fourreurs ont l'oreille ouverte au marchandage. Quelques éléments indispensables à surveiller au moment d'acheter:

▶ Assurez-vous que les bords des ourlets soient bien larges (autour de 5 cm) pour permettre des retouches.

▶ Examinez la fourrure en pleine lumière (et non sous les néons). Elle est brillante, le cuir de son endos est souple et non sec et cassant, la couleur de l'ensemble des peaux est bien assortie.

▶ Les ourlets sont droits, les parementures de col bien égales.

▶ Vérifiez les agrafes, les boutons, les ganses: tout doit être impeccable. La doublure doit impérativement être satinée.

Assurance, entreposage et service après-vente

Dans une bonne maison de fourrures, on vous traitera aux petits oignons. Une partie des quelques dollars payés en plus aideront aussi le magasin à vous offrir un service après-vente décent et une garantie acceptable. Toutefois, cela ne couvre pas les frais d'entreposage, traitement indispensable pour garder votre fourrure en bon état, et les coûts de nettoyage, une bonne inspection et des réparations au besoin. Ces frais varient selon le type de fourrure, sa valeur et souvent, selon la région où vous habitez.

Assurez-vous aussi de prendre une assurance, car votre manteau n'est pas couvert par votre assurance habitation régulière. En 1996, on compte autour de 2 $ par tranche de 100 $ de valeur du manteau.

Sois belle...

Une fourrure naturelle que l'on traite aux petits oignons se démodera avant d'être usée. Vous mettrez toutes les chances de votre côté pour assurer à votre fourrure une longévité respectable en prenant quelques précautions élémentaires.

▶ En voiture ou assise: déboutonnez votre manteau, autant que possible, pour éviter d'étirer inutilement les peaux. Lors de longs trajets, enlevez-le. La fourrure s'use par friction contre le siège (s'il est en tissu) et la ceinture de sécurité.

▶ Ayez toujours un foulard au cou. Les huiles naturelles de la peau, les fixatifs pour cheveux, le maquillage et la saleté peuvent user prématurément l'intérieur du col.

Soyons chic
▶ Innovez dans la façon de porter votre fourrure: jaquette avec un *legging* de velours ou des cuissardes, vison sur une robe de maille toute simple, bijoux amusants ou foulard frangé.
▶ La fourrure à poils longs convient aux minces, le poil ras ira mieux aux plus enveloppées. Notons que l'étoile de la première pâlit sérieusement, le gros renard argenté ayant acquis au fil des ans une image ringarde à la limite du vulgaire.
▶ Messieurs, vous aimez les belles peaux? Restez sobre! Jaquette garnie de castor, parka de vison (vraiment) très ras... le manteau de fourrure pour hommes, dans mon esprit et celle de bien des femmes, se range dans le même sac que la grosse chevalière en or, les souliers blancs et la corne d'abondance au cou.

Impardonnable
▶ La fourrure «Castafiore», qui joue les «madame» avec perles, sac matelassé et tout. Comme la fourrure d'aujourd'hui, cessez un peu de vous prendre trop au sérieux...
▶ Le manteau de mouton de Perse de grand-maman, usé, déformé et trop grand, comme à la belle époque du granola. Recyclez-le, donnez-le, mais de grâce, ne le portez plus.

▶ Le manteau jaune citron (ou autre couleur improbable) ou celui qui est rempli de motifs compliqués (cristaux de neige, motifs géométriques et ainsi de suite). En défilé, il est superbe, mais on s'en lassera vite même si on l'a payé très cher.

Recyclons

La fourrure véritable est éternelle ou presque. Quelques jeunes créateurs de mode la recyclent superbement (je pense entre autres à Harricana) ou peuvent lui donner une seconde vie en la remodelant du tout au tout (Jean-François Morrisette, de Saint-Romuald, excelle dans cet art). Si vous avez des doigts de fée, pensez aussi à recycler vous-même vos vieilles fourrures. Faites-en un nid d'ange pour promener bébé en traîneau, une housse pour votre siège d'auto, ou des bordures à coudre sur les vêtements, en garniture, pour leur donner un look luxe à petit prix. Pensez à des gants, à une petite toque ou à un béret en lainage, à une veste ou à un pull que vous aimeriez requinquer, au capuchon ou aux manches d'un manteau que vous adorez et cousez-y des rangs de fourrure pour en camoufler l'usure. Si vous faites partie des craintives que les aiguilles affolent, refilez le projet à une bonne couturière. Ça vaut la peine.

7.

Le maillot de bain

Secrets et stratégies de la parfaite *sirène*

L e maillot de bain est le dernier retranchement des complexes et des angoisses que nous entretenons toutes, mais à des degrés divers bien sûr, face à notre corps. Rien que de penser à vous taper la tournée des boutiques et à essayer des maillots sous les néons blafards un samedi d'avril pluvieux, en grosses chaussettes avec la culotte qui dépasse, vous avez la chair de poule. Avouez!

Il faut souffrir pour être belle: les boutiques de maillots, à quelques rares exceptions près, nous en font la preuve chaque saison. En effet, se confronter au décor «archi-drabe» des cabines d'essayage fait partie des préalables pour obtenir son passeport pour la dolce vita.

Mais pourquoi tant d'angoisse alors que même la nudité n'émeut plus ni Dieu ni diable? Parce qu'un maillot, c'est un miroir. Il ne cache rien, ne pardonne pas grand-chose et ne fait malheureusement pas partie de cette panoplie de vêtements-refuges pratiques, qu'on aime et qui nous le rendent bien. Et comme 90 % des femmes se trouvent trop grosses, trop petites ou trop autre chose et qu'elles vendraient leur âme pour ne pas que «ça paraisse», le maillot ressemble à s'y méprendre à un secret qu'on dévoile à la face du monde.

À moins que vous ne soyez sculptée comme Annie Pelletier, il y a bien des chances pour que votre maillot de bain dorme au fond d'un tiroir et ne sorte que pour être habillé d'un T-shirt jusqu'au moment où vous poserez le pied sur la serviette, entre votre grand fourre-tout en paille et la glacière. Et pourtant... si vous aimiez ce damné maillot, dès que le soleil se pointe, vous ne rêveriez que de plages et de palmiers (ou de sable et d'épinettes, si vous prenez vos vacances ici).

Qu'est-ce qu'on exige d'un maillot de bain? Des tas de choses, mais surtout, on en demande trop. Ce n'est ni une tenue de camouflage, ni une gaine et encore moins un corset. Ce sont peut-être justement ces attentes trop élevées qui ont poussé depuis quelques années tant de manufacturiers à se lancer tête baissée dans la fabrication de maillots «cache-défauts» dont les détails et les coupes ont de quoi vous enlever pour toujours le goût de la baignade. Je pense ici aux gros empiècements fleuris sur le maillot foncé pour redonner de l'espoir aux poitrines menues, aux surplis mémères et aux nœuds de caniches qui font les hanches ou la poitrine plus fines (ce sont eux qui le disent, pas moi) ou à l'incontournable série de lignes diagonales pour faire la taille plus mince. On en est actuellement au point où chaque fois qu'on voit une femme se pointer avec un maillot à jupette, on se dit: «Tiens, celle-là se trouve de grosses hanches et espère les camoufler avec ça.» Conclusion: on ne peut plus voir de ces «astuces» aussi subtiles qu'un dragueur basané sur une plage de Varadero. Assez!

On pourrait compter sur les doigts d'une main les trouvailles «cache-défauts» qui fonctionnement vraiment et qui, en même temps, ne nous donneront pas sur la plage l'air d'une dinde égarée dans le sable blanc. Nous verrons un peu plus loin ce qui peut contribuer à créer des illusions réussies tout en permettant aux sirènes que nous aspirons toutes à être de conserver une certaine élégance. Mais avant de choisir un maillot, encore faut-il en savoir un peu plus sur le tissu qui le compose.

Tous les maillots sont en tricot. La principale matière de base de ces tricots est le nylon auquel on a additionné, dans 99,9 % des cas, du *spandex* pour lui conserver sa forme et son élasticité.

▶ Le *spandex,* qu'on appelle aussi élasthane (on écrit aussi élastanne), est commercialisé chez nous sous le nom Lycra, une marque déposée de la firme DuPont, qui a le quasi-monopole de la production du *spandex* que comprennent les maillots de bain et autres vêtements extensibles. Généralement, plus le pourcentage de *spandex* est élevé, plus le vêtement offre de maintien.

▶ Le nylon, composante classique du maillot de bain, est la matière la plus utilisée de tous les synthétiques de l'industrie textile. On reconnaît le tricot de nylon classique des maillots à son aspect satiné, à son toucher doux et lisse. C'est le tissu dans lequel on coupe la très vaste majorité des maillots de bain que l'on trouve sur le marché. Il en existe toutefois une foule d'autres variantes, qui vont du similisuède à la panne de velours en passant par le *Supplex* au microfibré.

Avant d'acheter, assurez-vous que le tricot de nylon qui compose votre maillot soit assez résistant pour braver le temps et quelques saisons. Les rochers, les tables à pique-nique et le sable québécois, moins fin que sous les Tropiques, peuvent faire des mailles sur un tricot trop fin ou trop fragile. Si vous êtes le genre camping et plein-air, choisissez un tricot plus épais, plus résistant.

Si l'étiquette d'un maillot porte la mention «polyamide» au lieu de nylon, c'est à peu près la même chose: les polyamides sont une famille de fibres à laquelle appartient le nylon.

▶ **Le tissu à microfibres**, archi extensible, se retrouve surtout du côté des maillots de nageuses parce qu'il colle comme une seconde peau et, ce faisant, limite la résistance du corps dans l'eau, permettant à la nageuse d'améliorer son temps de quelques nanosecondes. C'est un tissu qui offre très peu de maintien. De toute façon, rares sont les athlètes qui en ont besoin!

▶ **Le Supplex** est une marque de commerce de la multinationale DuPont. C'est un nylon à fibres très fines, qui ressemble à s'y méprendre à du coton, respire comme un charme et laisse perler l'eau. C'est l'alternative moderne au traditionnel tricot de coton.

▶ **La maille-velours** est en fait du nylon. Panne de velours ou velours tout court, elle fait bel effet au bord de la piscine. C'est la matière parfaite pour un maillot chic qui aime sortir le soir avec un pareo, une grande jupe ou un *palazzo*. On l'aimera sûrement moins en camping, sur une planche à voile ou dans d'autres circonstances du même genre, parce qu'il est plutôt fragile et met un temps fou à sécher.

▶ **Le cloqué** est un tricot gaufré habituellement épais, qui offre un bon maintien. On le reconnaît à sa texture qui rappelle l'aspect de petites ampoules, d'où son nom. Chantal Levesque, la designer des maillots Shan, a eu la bonne idée d'en faire des maillots qui, à l'intérieur, sont doublés d'une seconde couche de tricot qui vous maintient en toute discrétion. Génial.

Le cloqué est plus épais, donc un peu plus chaud. Si vous êtes du genre à vous mettre en nage pour un rien, choisissez autre chose.

▶ **Le tricot de coton.** Mélange de coton et de spandex, le tricot de coton compose les maillots bon marché. C'est le genre de maillot qui, en version deux pièces, est bien capable de ne plus remonter avec vous après un plongeon. On le retrouve habituellement dans de grands bacs à l'entrée des boutiques (leur bas prix servant d'appât pour faire entrer les clientes) ou dans les «ventes trottoirs» de fin d'été, à très très bon marché. Il peut convenir aux bains de soleil et durera rarement plus que le temps d'un été.

Le velours et le coton sont plus lourds une fois mouillés et les fibres de *spandex* qu'ils contiennent perdent plus rapidement leur élasticité. Mieux vaut les faire sécher à plat pour limiter les dégâts.

Prête pour la chasse au maillot?

Quand acheter

▶ Préférez les périodes du mois où vos hormones se portent bien, c'est-à-dire n'importe quand sauf pendant vos règles et les quelques jours qui précèdent ou, si vous êtes ménopausée, pendant les journées autres que celles où vous accusez un sérieux vague à l'âme.

▶ Assurez-vous d'avoir du temps devant vous. Prenez le temps d'essayer, visitez toutes les boutiques et tous les magasins et essayez un même modèle plus d'une fois au besoin. N'oubliez pas qu'un maillot de bain ne peut être ni échangé, ni remboursé.

▶ Magasinez autant que possible durant la journée, en semaine. Le soir et les week-ends, les vendeuses des boutiques de maillots sont souvent des étudiantes filiformes qui, en plus d'ajouter à votre angoisse, ne connaissent que très vaguement ce qu'elles vendent. Vous aurez aussi moins de mal à obtenir du service dans un grand magasin en dehors des heures de pointe.

Quoi acheter

Pour trouver le maillot qui vous avantagera vraiment, le préalable numéro un, c'est de connaître votre corps et de vous voir telle que vous êtes. Ne soyez pas de celles qui passent leur temps à se déprécier et concentrez plutôt vos efforts à jouer avec les formes, les couleurs et les imprimés pour vous sentir belle et bien dans votre peau. Mettez l'accent sur les parties de votre corps que vous aimez et cherchez à faire oublier celles que vous aimez le moins. Et bien sûr, oubliez les froufous, les gros nœuds et autres détails imparables, qui ne feront que vous compliquer la tâche.

Le bon maillot au bon endroit

Ça peut sembler évident, mais on voit encore bien des baigneuses en *Speedo* sur la plage, au moins autant que de bikinis hawaïens à la piscine du quartier en janvier. Chacun ses goûts, c'est vrai, mais peut-être vaudrait-il mieux avoir plus d'un modèle, question de rester élégante, que le bord de l'eau soit en céramique ou en sable fin. Comment choisir? Tout dépend de ce que vous faites quand vous portez votre maillot.

▶ **Vous faites plutôt des longueurs en piscine.** Le maillot une pièce sportif est indispensable. Vous disposerez d'un plus grand choix à la boutique de sport qu'à celle de maillots. Évitez le deux-pièces, les modèles tarabiscotés et les tissus fragiles. Même chose si vous avez la piscine dans la cour.

Choisissez un maillot très ajusté, qui colle à la peau. Inutile de dépenser une fortune: le chlore de la piscine attaque l'élasticité des maillots à la même vitesse, quels que soit leur marque et leur prix, car ils sont tous en nylon et lycra.

▶ **Vous donnez dans la baignade en lac, le canot-camping et le plein air.** Allez-y avec un maillot polyvalent, une ou deux-pièces, sur lequel vous n'aurez qu'à enfiler un short pour être prête à prendre le large.

Choisissez un modèle à coutures piquées, plus durables. Privilégiez les tissus qui sèchent vite, qui se lavent bien et qui résistent à tout, comme vous. Évitez le soutien-gorge à armatures, surtout si vous devez porter un canot, et les bretelles fines comme des cordons, mortelles sous les bretelles du sac à dos.

► **Vous aimez le farniente les pieds dans le sable et tout.** Le deux-pièces ou le maillot mode sont pour vous. De toute façon, vous collectionnez probablement les maillots comme d'autres les papillons.

Choisissez des tissus qui résistent bien aux assauts répétés... de la crème solaire et du sel de mer. Oubliez les bretelles bizarres qui feront des arabesques sur votre beau bronzage et assurez-vous que les agrafes au dos ne gêneront pas votre confort une fois couchée. On n'y pense jamais en essayant, mais une fois sous les cocotiers, on s'en souvient.

► **Vous courez les croisières, les clubs Med et les *pool partys*.** C'est d'un maillot chic dont vous avez besoin, avec une sortie-de-bain digne de ce nom, des sandales mignonnes et un beau choix d'accessoires.

Choisissez des matières qui en mettent plein la vue: similisuède, galons dorés, mousseline pour aller avec et n'ayez pas peur des jeux de bretelles complexes, des découpes qui laissent voir un bout de ventre, des rivets et des ornements. Après tout, il faut qu'on vous voie!

8 conseils silhouette infaillibles

Voici huit points à considérer pour bien choisir un maillot. À chacun, j'ai ajouté quelques mini-conseils. Bien sûr, ce ne sont pas des règles absolues: il y aura toujours, quelque part, un maillot jaune soleil qui fera comme un gant à une blonde à la peau dorée. Il reste qu'à partir de ces huit points, vous pourrez rapidement dresser la liste de vos exigences personnelles pour trouver le maillot qui vous avantagera. Avec la quantité de modèles offerts sur le marché, vous repérerez ainsi plus facilement les modèles qui vous conviennent. Si vous n'y arrivez pas, voyez la liste d'adresses à la fin de ce livre. La designer Louise Daoust, de Montréal, est celle à consulter pour faire confectionner un maillot à vos mesures.

1 Jouez les rayures autrement

▶ Les lignes verticales allongent? Ce n'est pas toujours vrai: un maillot rayé noir et blanc quand on a le corps plutôt dodu n'est peut-être pas une bonne idée. Essayez plutôt le maillot à zip vertical, les découpes à rayures verticales autour du décolleté ou les empiècements piqués à la verticale.

▶ Les horizontales grossissent? Pas toujours vrai non plus: des rayures fines en marine et blanc, par exemple, peuvent flatter bien des silhouettes et font des merveilles sur un corps trop long.

▶ Les découpes de couleur foncée de chaque côté du maillot ne feront pas de miracles, mais masqueront avec un certain succès les quelques kilos pris au cours de l'hiver.

2 Choisissez bien vos imprimés

▶ Ce n'est pas la dimension des imprimés qui importe, mais le contraste des couleurs: plus il est fort, plus c'est voyant et plus les formes sont mises en valeur. Bien choisies, même les grosses fleurs peuvent avoir un chic fou!

▶ Féminins et flatteurs pour toutes, les petits imprimés sur fond sombre plaisent à toutes les silhouettes.

▶ Les carreaux fins et tout ce qui est construit à partir de lignes fines, quel que soit leur sens, vont aux silhouettes plus rondes. Les maigrichonnes seront avantagées par les gros carreaux, les motifs voyants et les contrastes choc.

3 Jouez avec les bretelles

▶ Plus fines, elles donnent l'impression d'épaules plus larges. Même chose pour le maillot sans bretelles. Les poitrines fortes préféreront évidemment les bretelles larges.

▶ La bretelle façon bain de soleil (à la diagonale et fermée sur la nuque) met les épaules en valeur. Si on a la poitrine plutôt forte, certains modèles peuvent nous faire une belle silhouette athlétique.

4 Soignez votre décolleté

▶ Tout ce qui attire le regard vers la poitrine peut aider à créer l'illusion d'une poitrine plus volumineuse: décolleté en V ou en cœur, armatures ou soutien-gorge qui pigeonne, bonnets plissés, nœuds ou imprimés... ⟶

▶ Pour créer l'effet inverse, détournez l'attention avec des imprimés ou optez impérativement pour un maillot qui couvre et qui soutient bien. ⟶

▶ Un décolleté carré sur un buste fort, c'est gagnant à tout coup.

5 Choisissez la bonne culotte

▶ Votre bas-ventre un peu rond ou la cicatrice d'une césarienne vous interdisent le bikini? Répliquez avec un deux-pièces rétro à culotte haute. Certains modèles sont plus sexy que n'importe quel bikini.

► La culotte échancrée allonge la jambe mais exige des hanches bien proportionnées. Les poignées d'amour en haut des cuisses sont impardonnables.

► Hanches fortes ou cuisses dodues seront avantagées avec une culotte plus couvrante derrière (tout le monde l'est, de toute façon).

► La culotte brésilienne n'a sa place que sur la plage des clubs vacances pour adultes. Et encore...

► La culotte bikini, pour les deux-pièces évidemment, exige une taille fine et un ventre plat. Les autres devraient préférer le deux-pièces, qui peut-être aussi sexy, souvent plus.

► La culotte sportive, type boxer moulant, couvre bien et flatte les cuisses dodues. Avec un haut sportif façon débardeur, elle a du punch et du dynamisme. Le débardeur donnera toutefois l'air d'un vilain petit canard à toutes celles qui ont la poitrine trop menue.

► La culotte à jupette couvre bien les hanches fortes, mais n'exagérons rien. Ses vertus ne sont pas infinies et tellement évidentes qu'elle peut finir par avoir l'effet contraire. De toute façon, on n'en trouve pratiquement plus dans les boutiques.

6 Explorez le monde de la couleur

► Le maillot noir amincit, tout le monde le sait, mais sur la plage par 30 °C, c'est aussi le maillot qui donne chaud. On peut obtenir le même effet avec du bourgogne, du marine, un bel orange brûlé, du mauve ou du vert foncé. Du moment que le maillot est classique! De toute façon, les filles qui s'habillent du côté des grandes tailles le savent: un maillot a beau être amincissant, elles n'auront jamais l'air d'un mannequin, même avec du noir. Elles seront élégantes avec un maillot sobre et suffisamment couvrant, dans lequel elles se sentent bien. Et il n'a pas besoin d'être noir.

▶ Les couleurs très vives mettent en valeur le bronzage et les peaux foncées. Le blanc va à tout le monde, sans exception. Si vous aimez, attention aux modèles mal doublés. Trempés, ils ne laissent plus rien à l'imagination.

▶ Sauf exceptions, la bonne couleur sera celle qui se rapprochera, en plus clair ou en plus foncé, de la teinte naturelle de la peau. Des exemples? Peau brune avec café, peau rosée avec fuchsia.

▶ Les mordues du bronzage en cabine et les inconditionnelles de l'autobronzant devraient se tenir loin de tout ce qui est jaune ou orangé. Sinon, elles auront l'air de se taper une jaunisse carabinée.

7 Recherchez les détails qui font la différence

▶ Une ceinture ou un élément qui rappelle la ceinture fait merveille pour affiner une taille épaisse.

▶ Les bonnets plissés et les drapés sur la poitrine donneront un coup de pouce aux poitrines menues.

▶ Le dos bien échancré sur des fesses plates peut réveiller une chute de rein qui manque d'allant.

▶ Le liséré ou les piqûres contrastantes accentuent et soulignent: quand le corps manque de courbes, un maillot à découpes surpiquées contrastantes, par exemple, peut faire des merveilles. ⟶

8 Sachez jouer avec les tissus

▶ Les effets de textures (froissé, panne de velours, façon chiné) conviennent mieux aux silhouettes bien proportionnées, qu'elles soient minces ou plus rondes.

▶ Le doré, le luisant et le métallique exigent un corps de déesse... ou une baigneuse sans complexes.

▶ Le côtelé à la verticale donnera des formes à celles qui n'en ont pas.

▶ Le plissé ajoute du volume et accentue les formes.

▶ Le cloqué et les tissus texturés donnent du style même au maillot le plus classique.

Maintenant, essayons!

Vous avez trouvé le bon modèle? Vous êtes prête pour l'essayage. Demandez un maillot une taille plus grande que votre taille de vêtement. Pourquoi? Parce que les maillots de bain sont toujours taillés plus petit. C'est déprimant, mais c'est ainsi.

▶ Si c'est un deux-pièces, enfilez-les comme des dessous. Voyez les renseignements sur l'essayage du soutien-gorge dans la section dessous.

▶ Si c'est un maillot une pièce, enfilez-le jusqu'à la taille, passez les bras dans les bretelles, puis penchez-vous vers l'avant pour permettre à vos seins de se placer dans les bonnets. Ajustez les bretelles si elles sont ajustables.

▶ Ensuite, quel que soit le type de maillot que vous essayez, assurez-vous que sa coupe vous convienne.

1 D'abord, levez les bras. Si la culotte remonte, le maillot est trop court ou trop petit. Demandez plus grand ou plus long.

2 Veillez à ce qu'il n'y ait pas de bourrelets aux aisselles, autour des cuisses, sur les fesses et au dos.

3 Passez les pouces sous les bretelles. Avec un maillot de la bonne taille, ça ne devrait pas serrer.

4 La couleur vous plaît, la coupe vous séduit? Achetez!

L'essentiel de la garde-robe maillots

Le maillot universel, dans lequel on est bien en toutes circonstances, n'existe malheureusement pas. Pour être prête à tout, vous auriez besoin de trois maillots différents.

▶ Un maillot pour le sport. Couleur unie, nylon *spandex*, rien de compliqué.

▶ Un maillot plus chic ou plus couvrant. Vous n'irez certainement pas en bikini au barbecue du country club! Si votre budget le permet, ayez sous la main un maillot chic et une panoplie de belles choses pour aller avec. Vous trouverez quelques idées plus loin.

▶ Un maillot pour les bains de soleil. Un deux-pièces si vous aimez, et avec lui une sortie-de-bain ou un petit quelque chose pour l'habiller.

Votre maillot de bain a plusieurs ennemis contre lesquels vous devez le protéger pour pouvoir lui garder sa beauté et son élasticité. Ce sont:

▶ le sel de mer

▶ le chlore de la piscine

▶ la sécheuse (notons qu'il n'aime pas beaucoup la laveuse non plus)

▶ le fer à repasser

▶ le sac de plage ou de sport dans lequel vous le laissez moisir lorsqu'il est mouillé. Et moisir n'est pas un vain mot:

c'est bel et bien le sort qui l'attend même après quelques jours seulement.

Quand le maillot s'habille

L'idée n'est pas neuve mais peu de femmes osent réellement l'explorer. C'est celle du maillot double-emploi, qui joue les corsages ou les bustiers. En vacances, c'est fou ce que ça fait gagner de l'espace dans les valises.

Le meilleur caméléon qui soit est le maillot le plus simple. Les tricots satinés se prêtent moins bien au jeu parce que, justement, ils ont trop l'air de maillots de bain.

Quelques bonnes idées

Avec un maillot nageur uni (c'est celui qui a l'air d'un débardeur):

▶ Une jupe portefeuille courte à imprimé batik et des sandales. C'est joli même quand vous n'êtes pas en vacances!

▶ Un jean ample ou une mini en jean et des espadrilles. Parfait pour magasiner la veille du retour chez soi.

▶ Un paréo, mais en tissu raffiné (soie, chiffon, viscose) avec des sandales dorées pour souper au bord de la piscine.

▶ Un short kaki, des souliers de marche et un chapeau en toile ivoire.

▶ Un *palazzo* à cordon coulissant en coton indien et des sandales plates pour flâner au bord de l'eau ou sur le patio.

Avec un maillot plus chic pour un effet bustier:
▶ Une belle jupe longue et fuselée, fendue, et des mules à talon.
▶ Un *palazzo* chic pour le soir et un pull en *lurex* ou en tissu qui brille noué sur les épaules.
▶ Un jean noir et un petit blouson, pour faire du charme.
▶ Une veste en lin et une jupe portefeuille coordonnée, façon safari.
▶ Un long chemisier transparent et un beau *legging,* pour recevoir des amis sur sa terrasse.

Choisissez vos à-côtés

Essentielle, la sortie-de-bain? Pas au sens où on l'entendait autrefois, genre peignoir en tissu éponge imprimé (le tissu éponge étant ce que plusieurs appellent «ratine»), mais en tant que cache-maillot, oui, il vous en faut une! Pour sortir de votre chambre pour aller à la piscine, pour prendre la navette entre la plage et l'hôtel ou pour vous couvrir avant de passer à table chez des amis, vous remercierez le bon Dieu chaque fois que vous enfilerez ce cache-maillot pratique, élégant et stylé, un signe de plus que côté fringues, vous vous y connaissez.

Si vous avez le budget, des compagnies comme Shan ou Gottex offrent des choses splendides à coupler à leurs maillots. Si vous faites plutôt dans la classe économique, voici quelques suggestions qui ne manquent pas de chic et qui coûtent peu:
▶ Une grande chemise en jean, en chiffon de polyester ou en coton égyptien.
▶ Une robe en tricot imprimé, dont les couleurs se marient à celles du maillot.

▶ Une veste en velours éponge, zippée et à capuchon (on en trouve parfois à bon prix à la section pyjamas des grands magasins).
▶ Une tunique longue achetée dans une boutique indienne.
▶ Un grand pull de coton (en fil de coton écru, à la section pour hommes).

Les bons amis de votre maillot
▶ Des accessoires en jute: mules à semelle de crêpe, fourre-tout, sandales...
▶ De la toile: espadrilles, grand sac de plage ou sac à dos, casquette ou chapeau.
▶ De la paille: capeline, sac ou baluchon, bracelets, bandeau.
▶ Des sandales plates, en cuir doré.
▶ Du tissu éponge extensible, avec un duo short et débardeur.
▶ Un T-shirt ou un short cycliste qu'on enfile sur son maillot pour le volley-ball.
▶ Un grand pull à capuchon en tissu éponge de couleur vive.

Les impardonnables
▶ Le maillot et les sandales à talon haut (en cuir blanc, c'est le summum). Même *Miss America* ne porte plus cela.
▶ Des chaussures et des accessoires en cuir à la plage.
▶ Un maillot avec un maquillage de gala, rouge très rouge, ombre à paupières et tout.
▶ Le maillot brésilien qui dévoile tout... même cette belle peau frite au bronzage cabine.
▶ Le maillot couvert de bijoux, colliers, bagues, montre et tout.

▶ Les tons pastel sur une peau blafarde. Essayez du vert menthe pour voir: c'est morbide.

▶ Le maillot partout, du petit déjeuner au resto de l'hôtel jusqu'au souper avec orchestre sous les cocotiers. Même dans le plus kitsch des hôtels de Cancun, ça ne passe pas.

8.

Les dessous

Quand l'essentiel *est invisible* pour les yeux

L e tiroir à lingerie de nos mères avait beau être deux fois plus rempli que le nôtre, ce que l'on y met de nos jours est au moins dix fois plus délicat à acheter. Pourquoi? Parce que nos mères n'avaient bien souvent le choix qu'entre le beige et le blanc. Quelques intrépides osaient bien le noir, malgré le sourire en coin des vendeuses et le fait que ce péché de luxure devait être confessé tête baissée le dimanche suivant, mais bon. Reste que même en noir, le choix était plutôt réduit.

Aujourd'hui, le marché du soutien-gorge et de la lingerie est une vaste arène où les grandes compagnies d'Europe et d'ici luttent pour s'approprier une place dans notre tiroir d'en haut. Des secrets de Victoria jusqu'à la séduction *politically correct* de Victoire Delage, toutes les femmes, de la vamp à la vieille fille pure et dure, peuvent trouver ce qui leur convient.

Les dessous sont une garde-robe en soi. On pourrait les diviser en quatre catégories. Un volet comporte ce qui est conçu pour être porté tous les jours, un autre convient aux occasions spéciales — quand il se pointe, petite boîte bleue en main, le jour de notre anniversaire, par exemple —, un troisième comprend ce dont on aura besoin pour le sport et diverses autres activités physiques (jouer au basket, couper du bois ou même, repeindre le plafond du salon) et enfin, un dernier volet comprend ce que l'on portera la nuit pour dormir... ou pour garder notre homme bien éveillé.

LE PRINCIPAL: LE SOUTIEN-GORGE

Celui-là, je ne voudrais voir personne à sa place, pas même mon pire ennemi. On lui demande la lune et on le traite comme le dernier des derniers. Avouez! Vous le dénichez souvent à la hâte, en solde dans un grand bac au milieu de l'allée d'un grand magasin, puis vous le portez quelques jours avant de le lancer dans la laveuse. Certaines poussent même la cruauté jusqu'à le faire griller dans la sécheuse, avec les chaussettes et tout le reste, pour ensuite, deux mois plus tard, lui reprocher de les laisser tomber.

Votre soutien-gorge mérite mieux. Surtout celui que vous enfilerez tous les matins et qui deviendra (j'exagère à peine) le plus proche complice de tous les moments de votre journée. En premier lieu, il doit impérativement être choisi avec soin. Autrement, ce sont les maux de dos, les courbatures et les problèmes de posture qui seront votre lot.

Inutile de courir à tout prix chez la «corsetière» ou dans ces boutiques dont les seules salles d'essayage donnent envie de se ruiner en guêpières griffées. Si vous avez les moyens, bien sûr, vous devez savoir que personne ne connaît les soutiens-gorge comme la corsetière du quartier, qui vend des gaines depuis l'époque du *New Look*. En deuxième position, les vendeuses des boutiques à rideaux victoriens, les meilleures étant habituellement celles qui portent des lunettes retenues par une chaîne (selon les témoignages recueillis auprès de plusieurs copines à moi) ou des demi-lunes à la Mordecaï. Et si votre porte-monnaie est mince, les grands magasins sont parfaits, à condition de savoir se débrouiller seule. Pourquoi? Parce que la caissière qui s'use les nerfs toute seule dans l'immense rayon lingerie (compressions obligent) fait souvent six mois dans la lingerie et six mois dans les chaussettes pour hommes. Vous voilà prévenues.

De la mesure avant toute chose

Que vous choisissiez un soutien-gorge pour le quotidien, le sport ou le charme, avoir la bonne taille est primordial. Je sais, je sais: comme tout le monde, vous faites du 34 B. Permettez-moi de vous dire que le jour où vous découvrirez que vous faites du 32 ou du 36B, votre vie sera transformée.

Pour prendre vos mesures

Avec le galon à mesurer, sans serrer, mesurez le tour de votre cage thoracique, sous les seins. Faites-le en pouces — nos tailles de soutien-gorge sont encore en mesures impériales —, et additionnez 5 au nombre obtenu. Le total est votre taille de soutien-gorge. Ensuite, mesurez votre tour de poitrine à la hauteur des mamelons et soustrayez ce nombre de la première mesure que vous avez prise.

Un exemple? Sous la poitrine, vous mesurez 31. 31 plus 5, c'est 36. Vous faites du 36. Mesure à la hauteur des mamelons? 39. 39 moins 36 donne 3. Avec ce chiffre, vous déterminerez la profondeur des bonnets de votre soutien-gorge, en vous basant sur le tableau qui suit:

Différence en pouces	Bonnet
1	A
2	B
3	C
4	D
5	DD

Voilà. Vous connaissez maintenant votre taille véritable et vous êtes prête à attaquer la deuxième partie de votre quête pour le soutien-gorge parfait.

Pigeonnant, demi-buste, «naturel»...

Rayon lingerie, le choix effarant de modèles a de quoi en décourager plusieurs, qui se contentent du modèle le plus simple — soutien naturel, bretelles amovibles — depuis l'époque d'Harmonium ou même avant. Il y a méprise. Le rôle du soutien-gorge est, sans jeu de mots, de soutenir vos attributs. Pardonnez la comparaison, mais je vois les choses comme s'il s'agissait d'une maison: pour garder la façade attrayante, plus elle vieillit, plus il faut investir. À 30 ans, à 40 ou à 50, notre corps change et notre poitrine a besoin, au fur et à mesure que l'on vieillit, de plus en plus de soutien. Comment savoir, alors, ce qui vous convient? Voyons cela:

▶ **Le soutien-gorge triangle,** comme son nom l'indique, est doté de bonnets triangulaires habituellement en tricot souple. C'est le soutien-gorge tout indiqué pour les jeunes filles.

Son soutien léger convient aux poitrines menues ou moyennes.

▶ **Le soutien-gorge pigeonnant.** Il est muni d'armatures (habituellement en plastique, pour faire taire ces rumeurs ridicules de soutien-gorge «cancérigène»). Ses bonnets sont conçus pour faire jaillir la poitrine, l'arrondir et créer ce pli bien défini entre les deux seins qui attire tant le regard de nos amis masculins. Il comporte souvent des coussinets qui permettent de remonter le buste en même temps que l'ego de celles qui ont des poitrines menues.

Les poitrines plus fortes devraient l'éviter, car il n'est pas assez large au dos et sur les côtés pour assurer un bon maintien.

▶ **Le soutien-gorge à armature.** Celui-là est muni, comme son nom l'indique, d'armatures; ses bonnets découpent, séparent bien et sont généralement couvrants. C'est un incontournable pour le port quotidien.

Il convient à toutes, ou presque. Les poitrines fortes seront toutefois plus à l'aise dans un modèle à bonnets rigides, sans armatures; les plus menues pourront choisir un modèles à bonnets coussinés.

▶ **Le soutien-gorge balconnet** possède des armatures lui aussi; assez large, il découpe bien les seins et on le reconnaît à ses bonnets en forme de corbeille. Avec un balconnet, vous êtes aux premières loges pour voler la vedette!

Le balconnet convient à tout le monde. Toutefois, comme sa principale qualité est de donner plus de galbe à la poitrine, les seins très volumineux risquent d'y être très malheureux.

Parlons matières

▶ La dentelle a de la classe mais est la plus capricieuse de toutes. On devrait la préférer en garnitures ou pour les soutiens-gorge des grandes occasions.

▶ Le tricot additionné de lycra est le meilleur choix pour le soutien-gorge de tous les jours; s'il est de bonne qualité, il est doux au toucher, souple, extensible et ferme en même temps.

▶ Le velours extensible, un mélange de nylon et de *spandex,* a du chic mais pèche par son côté peu pratique, puisqu'il lui est bien difficile de passer inaperçu sous un vêtement; au-dessus de 23 °C, il est insupportable.

▶ Le tricot de coton est bien joli, mais bien plus à sa place au rayon des T-shirts. Il dure peu et offre un maintien très moyen. En revanche, il coûte peu et est souvent semé de beaux petits imprimés qui lui donnent des airs de maillot.

Essayons, maintenant

Avant de commencer votre magasinage, préparez-vous intelligemment. Assurez-vous de porter un pull afin de pouvoir l'enfiler sur le soutien-gorge convoité pour juger de l'effet. On devrait savoir que les obus à la Jane Russel sont démodés; les seins qui frôlent le menton également-ment.

1 Ajustez d'abord les bretelles afin que le dos du soutien-gorge soit placé sous les omoplates.

2 Attachez les agrafes, puis penchez-vous un peu en avant pour permettre aux seins de prendre leur place dans les bonnets.

3 Assurez-vous que la bande au bas du soutien-gorge repose bien sur la cage thoracique, devant comme au dos.

4 Passez l'index sous la bretelle, entre la peau et le tissu sur les côtés, puis au dos. L'important, c'est que ça ne serre pas.

5 Les bonnets doivent couvrir sans serrer, les armatures doivent être confortables, de diamètre adéquat.

6 Une fois remplies toutes ces conditions, enfilez votre pull pour juger de l'effet. Voilà!

Souvent, le 34 B d'une marque n'est pas de la même taille que celui d'une autre marque. Raison de plus pour toujours essayer avant d'acheter. En comparaison avec les modèles canadiens, les modèles français et italiens sont habituellement coupés plus petit; les soutiens-gorge américains sont légèrement plus grands.

Parlons sport

Pratiquer son sport favori en escarpins vernis est une hérésie. Pourquoi, alors, porter son balconnet en dentelle pour faire de l'exercice? Quand on veut préserver ses acquis, on s'équipe! Sachez aussi que le soutien-gorge de sport ne convient pas qu'aux marathonniennes. Vous serez heureuse d'en avoir un pour faire de gros travaux (déménagement, lavage des vitres...) parce qu'il soutient, protège et reste toujours en place.

▶ Le soutien-gorge de sport parfait est en tricot additionné de *spandex* (qu'on connaît aussi sous le nom de Lycra, nous l'avons déjà dit). Il découpe les seins sans trop les aplatir et limite la friction (sueur + friction = irritation).

▶ Il comporte le moins de coutures possible et toutes sont rabattues ou surjetées pour éviter d'irriter la peau.

▶ Il a peu ou pas d'agrafes, pour les mêmes raisons.

▶ On choisit un maintien plus ferme pour les sports riches en rebondissements (course à pied, danse aérobique) ou plus léger pour les sports moins violents.

► Depuis quelques années, on peut coupler certains modèles de soutien-gorge de sport à des culottes coordonnées. Une autre preuve que même si on croit tout avoir, les manufacturiers finissent toujours par nous créer des besoins nouveaux.

ET LA CULOTTE?

Beaucoup plus simple de choisir le bas que le haut. On tient compte du vêtement que l'on porte, de ses besoins, de ses goûts et de ses sous. Au quotidien, on privilégie le confort. Une culotte haute ou coupée sur les hanches suffit. On évitera le beau V au milieu des fesses en enfilant une culotte brésilienne (couvrantes devant avec, au dos, une mince bande de tissu qui se glisse entre les fesses), une culotte sans couture ou une culotte à jambes longues.

► **Le tricot de coton** est l'allié par excellence du quotidien. Il respire, il est doux, confortable et durable et se lave comme un charme.

► **La dentelle,** comme dans le cas du soutien-gorge, aura avantage à être portée en certaines occasions seulement.

► **Les culottes de nylon, d'acétate et autres tissus synthétiques** devraient impérativement comporter un gousset de coton. Ces tissus, qui ne respirent pas, créent des conditions propices au développement de vaginites et autres champignons.

Pour choisir

► Écartez systématiquement les élastiques qui serrent aux cuisses et aux hanches et qui risquent de laisser de belles démarcations au dos de votre pantalon.

▶ Si vous avez un petit ventre, optez pour des élastiques bien larges et des tailles plus hautes.

▶ Préférez les culottes qui couvrent bien les fesses à celles qui vous font un grand V sur le derrière.

▶ Les teintes unies sont préférables aux imprimés, qui peuvent devenir visibles sur les couleurs claires.

Les nouveaux imposteurs

En élégante avertie, vous avez pigé depuis longtemps les petits miracles que peuvent faire les vêtements de soutien pour votre silhouette. Oubliez les corsets à baleines, les combinés à lacets et autres fossiles de l'époque de «ma gaine me fait mourir». Il reste que les outrages du temps, alliés à notre amour pour les bons restaurants, ont donné lieu chez les manufacturiers à une grande cure de Jouvence de leurs lignes de dessous minceur, ces dernières années plus que jamais. Celles qui veulent s'offrir une jolie silhouette n'ont qu'à bien faire et laisser braire les maigrichonnes et les sceptiques en s'offrant l'une de ces nouvelles trouvailles astucieuses et, ma foi, aussi bien faites qu'abordables.

▶ **Les culottes de maintien**

Il y a d'abord les modèles à maintien léger, en tricot additionné de *spandex,* qui sont lisses et doux. On les aimera sous un pantalon ou une jupe. Les premiers jours de règles, elles ont un effet sensas sur le moral!

Les culottes offrant un maintien moyen sont généralement affublées d'un plastron pour gommer l'abdomen.

162

Plusieurs initiées, qui leur reprochent la façon dont elles serrent les cuisses et la taille, seront heureuses d'apprendre qu'il existe aussi des modèles en mélange de coton sans élastiques, tellement confortables qu'on ne voudrait plus les quitter.

Enfin, les culottes à maintien ferme comportent le plus souvent un plastron double et un panneau de maintien au dos. Au dire de celles qui en portent, les essayer, c'est les adopter. Toutefois, on aura besoin d'un peu de temps pour s'adapter à leur effet «seconde peau» sur le corps.

▶ La gaine-culotte

Chez Grenier, on en a offert des versions actualisées, qui ont connu plus ou moins de succès, il y a quelques années. Or, on doit aujourd'hui se frotter les mains chez ce manufacturier montréalais: la gaine-culotte revient en force et les beaux modèles redessinés vers 1990 gagnent en popularité. On retrouve même des modèles analogues dans les grandes chaînes de boutiques de lingerie et dans les catalogues américains et canadiens.

La gaine-culotte de l'an 2000 ressemble à un short cycliste et est rigoureusement invisible. On la porte essentiellement sous un pantalon ou une jupe longue, car sitôt démasquée, elle perd tout son attrait.

La petite futée a une cousine tout aussi astucieuse: la gaine-culotte à taille montante, connue aux États-Unis sous le nom de «Belly Buster». Cette petite merveille, en tricot de coton tout doux, monte jusque sous la poitrine et se termine par une culotte à gousset pressionné. C'est confortable, efficace, mais visiblement pas conçu pour être porté quand on travaille assise ou qu'on marche beaucoup, la chose ayant tendance à remonter et à descendre — subtilement, c'est vrai, mais juste assez pour vous faire perdre votre assurance — selon les mouvements de votre corps. Imaginez-vous forcée d'évacuer pour cause d'incendie: cauchemar garanti.

► Le *body*

C'est la version moderne du combiné. Il remporte les suffrages chez bien des femmes, quels que soit leur taille ou leur âge. C'est qu'en plus de gommer le ventre et d'adoucir les courbes de la silhouette, ce grand roi des imposteurs a l'immense avantage d'être sexy. Et au rayon des dessous de maintien, il est d'ailleurs le seul à l'être, même si les manufacturiers prétendent le contraire. Le seul pépin quand vient le temps d'acheter: peu de modèles sont offerts en plusieurs longueurs. Donc, essayage minutieux obligatoire. Vérifiez bien que la culotte ne serre pas, que les boutons du gousset, faciles à attacher, ne risquent pas d'irriter la peau même lorsque vous êtes assise; que les armatures du soutien-gorge s'ajustent au bon endroit, jamais plus haut, jamais plus bas. Au moindre doute, changez de modèle. Et si la vendeuse vous dit que tout est une question d'ajustement des bretelles, changez de boutique!

Le *body* est l'allié incontournable de la maille. Parfait sous une robe, magnifique sous un pull, chic avec tout ou presque. On l'aimera un peu moins en été, mais rien n'est parfait dans ce bas monde...

▶ **Les parfaits menteurs**

C'est le seul nom qui m'est venu à l'esprit le jour où j'ai vu dans le catalogue d'un grand magasin ces nouvelles gaines-culottes «remonte-fesses», qui sont traversées de bandes ouatinées à l'ourlet pour mieux remonter et galber l'arrière-train. On peut aussi en trouver une version avec coussinets de mousse amovibles, conçus pour donner l'illusion de fesses plus rondes.

Je classerais dans la même catégorie le fameux soutien-gorge *Dream Lift* de WonderBra, qui fait un tabac depuis son second lancement, il y a maintenant presque quatre ans. Fantastique bouée de sauvetage pour les poitrines menues, ce soutien-gorge, qui s'attache devant, est doté de coussinets tricheurs qui vous font une poitrine d'enfer... même si vous n'en avez pas. On devine que son design a été copié et recopié plus encore que la Joconde elle-même!

BELLE DE NUIT

Le petit monde des dessous sexy, comme celui des sous-vêtements de tous les jours, a connu tout un *lifting* depuis les années de la révolution sexuelle. Si on faisait ça nus et au grand jour à l'époque, aujourd'hui, nous sommes de plus en plus nombreuses à nous habiller pour ajouter un peu d'assaisonnements aux petits plaisirs de notre intimité. Ce qui est intéressant dans cette façon dont les choses ont évolué, c'est que les mentalités aussi ont changé, celle des acheteurs des magasins comprise. Conséquence: celles qui prisent les dessous coquins n'ont plus besoin de courir tous les magasins de la ville pour trouver un simple porte-jarretelles et ne sont plus obligées de se laisser berner en payant le gros prix pour une minuscule culotte dans le *sex shop* de leur ville. Les gros canons de la lingerie d'ici ont remis leur pendule à l'heure —

Papillon blanc fabrique des dessous en vinyle noir depuis quelques saisons, c'est vous dire! — et à la demande générale, on trouve bien autre chose que des caracos, des déshabillés d'hôpital et des caleçons boxeurs brodés à la section lingerie des grands magasins.

Séduire la femme de sa vie

Premier point pour choisir des dessous sexy: chercher d'abord ce qui vous séduira, vous. En clair, cela veut dire: ne vous habillez pas en satin rouge s'il aime ça et que ça ne vous plaît pas. Rien n'est moins séduisant qu'une femme mal à l'aise dans ses vêtements. Tous les hommes vous diront également que rien n'est plus excitant qu'une femme qui s'aime, qui se sent belle et qui est bien dans sa peau. Au fond, celle qu'il faut séduire avec des dessous, c'est d'abord vous!

L'essentiel des dessous coquins

En tête de liste, le classique porte-jarretelles, tellement répandu aujourd'hui qu'il a perdu toute connotation sulfureuse. Dans les années 70, on le déballait au pied de l'arbre, cadeau «cochon» qui nous valait les quolibets de la parenté jusqu'aux Rois. Moins de 25 ans plus tard, on en trouve jusque dans les chariots des habituées des magasins à grande surface, au dessus des chips grand format et des poêlons antiadhésifs.

Inutile d'investir beaucoup, puisque c'est un article que vous porterez peu. Le meilleur achat: les modèles à deux ou trois agrafes au dos (ils restent mieux en place) et dont les pinces et les attaches sont en métal et non en plastique. Si vous n'en trouvez qu'en plastique et que vous avez du talent pour la couture, remplacez-les. On trouve des pinces et des attaches dans presque toutes les boutiques de couture. N'oubliez pas non plus de choisir des bas ultrafins, diaphanes de belle qualité.

Pas très loin derrière, la guêpière, inventée en 1945 par le couturier Marcel Rochas, donnait aux femmes la taille de guêpe requise par la vague du *New Look*. Même si elle n'a plus grand-chose à voir avec ce qu'elle était à l'époque, elle n'a rien perdu de son pouvoir de séduction. On en trouve de toutes les couleurs et dans toutes les matières, de l'acétate à la résille de nylon en passant par le velours, le cuir et le latex.

La guêpière convient beaucoup mieux aux formes généreuses et aux bien pourvues côté poitrine. Si vous aimez l'authenticité, vous pourrez trouver de splendides guêpières datant des années 60 ou d'avant dans certaines friperies.

Plus moderne, le *body,* ou combiné, est offert dans une foule de ravissantes variantes: dentelle, velours, résille, satin et ainsi de suite. Bien choisi, il avantage pratiquement toutes les silhouettes. Vous trouverez des conseils judicieux sur cette question à la section maillots.

Le *body* avec un collant ou un porte-jarretelles est un non-sens. Accompagnez-le de bas-jarretières (les fameux *stay-ups*) et de jolies chaussures, et l'affaire est dans le sac!

Le bustier, qui a connu ses heures de gloire avec Madonna à la fin des années 80, s'éclipse tranquillement pour laisser de plus en plus de place au *body*, aussi séduisant mais plus agréable à porter. On trouve entre autres des modèles dos nu, pratiques pour porter avec une robe à dos dégagé si votre poitrine a besoin de soutien.

Les vêtements de nuit

Personnellement, je me suis toujours demandée ce qu'il pouvait y avoir d'agréable dans le fait de dormir toute habillée. Enfin, chacun est libre de ses choix. Certaines dorment en T-shirt et caleçon boxeur, d'autres en T-shirt tout court, d'autres encore optent pour une chemise d'homme délaissée par le leur. Quel que soit votre choix, voici, en quelques points, ce qu'il est important de surveiller quand on fait ses choix.

▶ Évitez les vêtements qui comportent des fermetures à cordons au cou, des zips et tout ce qui peut vous blesser pendant le sommeil. Ça peut sembler enfantin, mais en boutique, on n'y pense pas toujours.

▶ Le nylon et les synthétiques, pas toujours confortables, peuvent l'être encore davantage et provoquer des étincelles d'électricité statique si vos draps contiennent des matières synthétiques (c'est le cas de ces machins en polyester qu'on appelle des «draps santé»). Si vous fumez au lit ainsi vêtue (vous vous dites que vous ne devriez jamais chaque fois que vous le faites, allez...), les risques de brûlures augmentent.

▶ Les robes trop longues, les manches trop larges, bref, tout ce qui peut vous faire tomber ou s'accrocher dans les poignées de porte ou ailleurs au saut du lit devrait être évité.

Et pour sortir du lit...

Il vous faut bien un peignoir. Pourquoi vous offre-t-on ces beaux peignoirs de tissu éponge blanc dans les instituts de beauté, les centres de santé ou de thalassothérapie? Parce que c'est ce qu'il y a de mieux pour se détendre et que le tissu éponge de qualité est increvable. Eux lavent les leur tous les jours, vous pas. Soyez un as du camouflage en préférant le rouge, le marine, le noir, qui endurent quelques taches avant de passer à la laveuse et qui ne risquent pas de jaunir ou de se tacher comme le blanc.

Si votre budget est limité, choisissez votre lingerie coquine dans des matières qui imitent les tissus raffinés: tissus microfibrés pour remplacer la soie, polyester au lieu du satin, chiffon de polyester au lieu de mousseline. C'est moins confortable, mais puisqu'on ne les porte pas tous les jours, qui s'en plaindra?

Faites aussi régulièrement des blitz dans les grandes surfaces (Wal-Mart, Zellers et autres). À travers ces vastes sections de bobettes fleuries se cachent parfois des trésors à petit prix.

La garde-robe lingerie en **6** points

1 Au minimum, deux soutiens-gorge de qualité irréprochable pour tous les jours, un modèle en dentelle ou plus «luxe» pour le soir et un autre pour le sport. Nous l'avons déjà dit, le soutien-gorge est la pièce de base de la garde-robe dessous. Un modèle de qualité qui dure un an vaut mieux que trois modèles mal faits bons pour la poubelle après deux mois!

2 Des culottes de coton ou à gousset de coton pour tous les jours, une ou deux culottes brésiliennes (ou à coutures invisibles) pour les pantalons moulants et une culotte de maintien pour les jours où on a les hormones capricieuses et l'ego à plat.

3 Pour flâner à l'aise les jours d'hiver, des caleçons boxeurs de soie (à la section des hommes, ils sont beaucoup moins chers) avec des camisoles ou des T-shirts coordonnés. Une bonne idée: choisir aussi de grosses chaussettes (toujours de leur côté, on paiera moins) pour aller avec tout ça.

4 Pour se faire plaisir d'abord et pour séduire ensuite, un *body* de dentelle ou à empiècements de dentelle, un duo robe de nuit et peignoir et, pour les audacieuses, quelques petites choses plus sexy (guêpière, porte-jarretelles ou autres) avec, bien sûr, au moins une paire de bas de rechange (on ne sait jamais ce qui nous attend après un petit souper galant!)

5 Si vous dormez autrement qu'en tenue d'Ève (seulement 6 % des Américaines le feraient, les pauvres!), deux exemplaires de votre tenue préférée pour dormir: pyjama ou T-shirt, tandem camisole et caleçon boxeur...

6 Pour celles qui sont plus dodues, des vêtements de maintien dans lesquels elles se sentiront bien: gaine-culotte, *body* ou duo soutien-gorge long et culotte montante.

9.

Les accessoires

Des détails qui font toute la différence

L es accessoires, c'est la planche de salut de celles qui n'ont ni le temps ni les moyens de suivre les tendances à la lettre. En effet, rien d'autre dans notre garde-robe ne livre un message avec autant de clarté et de précision que ces objets que l'on ajoute aux vêtements, qui leur servent de toile de fond. Pensez au petit sac matelassé: authentique, il impressionne; factice, il fait sourire.

Les accessoires parlent de nous à livre ouvert. Des lunettes retenues au cou par une chaîne? On pense à une bibliothécaire. Une chaînette à la cheville? On se dit que celle qui la porte est une cocotte. Quelle que soit la mode du jour, les accessoires demeureront toujours la meilleure façon de dire aux autres, pour moins cher que ce qu'il en coûterait pour des vêtements, qu'on connaît les tendances. En fait, ce sont les accessoires qui nous aident à donner à ce qu'on porte une allure actuelle. En plus, vous en conviendrez, choisir ses accessoires est l'une des étapes les plus agréables de tout le rituel qui consiste à s'habiller!

Comment conjuguer accessoires et tendances avec justesse? Le secret est de chuchoter au lieu de crier. Ainsi, si le bourgogne est à la mode, offrez-vous un col roulé ou un sac bourgogne et portez-les avec votre tailleur beige de l'an dernier. Ne mordez pas à tous les hameçons en investissant à fond dans la couleur du moment. Invariablement, vous vous retrouverez le bec à l'eau l'année suivante.

Passons maintenant en revue les accessoires par catégorie. Pour chacune, vous trouverez des conseils d'achats, quelques idées pour les agencer, des façons de le faire qui sont moins heureuses et des suggestions pour les utiliser au mieux.

LE CHAPEAU

C'est un monde à lui seul. Dommage qu'il n'ait plus la place qu'il avait autrefois dans la garde-robe des femmes! Les plus âgées se souviennent avec nostalgie de l'époque des chapelières, où chaque tailleur, chaque robe et chaque manteau se devaient d'avoir son couvre-chef coordonné. La chapellerie, aujourd'hui, n'est plus que l'affaire d'une poignée de passionnées qui, heureusement pour nous, persistent à créer des modèles même si la clientèle se laisse parfois désirer.

Nos occupations et le rythme effréné de la vie moderne ont forcé le chapeau à diversifier ses vocations. À sortir de sa belle boîte ronde pour aller traîner, par exemple, sur la banquette de l'auto ou sur la tablette d'en haut du placard. Le chapeau de tous les jours est le plus souvent, en effet, un bonnet ou un calot pour l'hiver, une casquette ou une paille pour se protéger du soleil ou un petit quelque chose d'un peu plus spécial pour les mariages ou autres occasions.

Le monde des chapeaux se divise en deux: d'un côté, les couvre-chefs essentiellement «utilitaires» et saisonniers (casquette, tuque, bonnet de laine ou de molleton) et de l'autre, les parures, celles que vous porterez pour le plaisir et l'élégance, et non parce que la météo vous y oblige.

Les couvre-chefs «utilitaires»

La casquette

Dany Aubé était sans doute la seule à la porter dans les années 60, mais aujourd'hui, son usage s'est généralisé. Tous les jeunes hommes ont une casquette de baseball vissée sur la tête (je dis vissée parce que même en entrant au paradis, ils ne l'enlèveraient pas). Plusieurs hommes plus âgés ont aussi cette habitude, qui semble avoir remplacé la queue de cheval pour masquer une calvitie naissante. Du côté des femmes, la casquette a une image jeune, garçon manqué et même légèrement anticonformiste.

▶ **Comment choisir?** Achetez un modèle qui s'ajuste à l'arrière par une bande de cuir avec boucle de métal et non par une bande de plastique. Mieux: préférez les casquettes qui viennent en différentes tailles. Munies d'un élastique à l'endos, elles sont nettement plus confortables et surtout plus jolies.

La casquette est l'alliée du jean et des tenues sport, du maillot à la plage, des barbecues entre amis et de l'après-ski. On l'aime aussi pour assister au Grand Prix et à tous les événements sportifs où un chapeau risque de gêner la vue des spectateurs derrière nous.

Laissez la casquette «publicitaire» à votre petit neveu. Offrez-vous celle d'une bonne marque de vêtements de plein air (le logo est plus discret, mais on n'y échappe pas) ou mieux, achetez un modèle en tissu à palette de suède, sans slogan ni logo.

Le béret
En beau feutre de laine, mou et flou, c'est le plus ancien de tous les accessoires unisexes et aussi le plus indémodable. On en a retrouvé des traces jusque chez les Crétois, en 1700 avant Jésus-Christ, et il n'a pas changé depuis le début du siècle. Pourquoi? Parce qu'il est parfait. Il va à tout le monde, beau ou laid, petit ou gros, sans distinction.

▶ **Comment choisir?** Allez au plus simple: le bérêt de laine avec sa petite queue comme la tige d'une pomme. Inutile d'investir dans l'authentique béret basque. Achetez bon marché dans les grands magasins et, avec l'argent économisé, offrez-vous le béret en plusieurs versions, matières et couleurs.

Essayez le béret de laine de même couleur que les revers d'une veste de style équestre. Attention au noir, qui fait sévère. Si vous avez les traits anguleux, choisissez les tons pastel ou plus clairs. Un béret de couleur vive fera aussi des merveilles pour agrémenter un manteau foncé. Piquez-y des épinglettes (des *pins*) ou une belle épingle. Offrez-vous une version en tricot pour l'hiver (extensible, on peut l'étirer pour se cacher les oreilles) et, pour le soir, un béret de velours, sur lequel vous pourrez piquer une broche brillante ou une belle plume. Il sera parfait pour les sorties impromptues ou si le temps vous manque pour un shampooing.

Le béret passe partout, d'accord, mais pas n'importe comment. Le classique en lainage est «sport» et convient aux tenues sport. Avec des looks plus habillés, préférez le béret taillé dans une matière plus raffinée (satin, velours). Évitez le bérets démesurés si vous êtes de petite taille. Un chapeau trop volumineux vous donnera l'air d'un champignon.

Le côté trop classique du béret vous agace? Essayez une casquette en feutre comme celle de grand-papa (pas chère du tout dans les grands magasins), ou une casquette de pêcheur grec, en feutre noir avec passementerie. On en trouve dans plusieurs surplus d'armée.

Le chapeau de paille
Il en faut un, au moins, pour s'éviter des coups de soleil les jours de beau temps. Le modèle qui vous ira le mieux est celui que vous aimerez, puisque, pour garder une peau jeune longtemps, vous le porterez souvent.

▶ **Comment choisir?** Privilégiez les modèles qui vous gardent le nez toujours à l'ombre, mais évitez la capeline dramatique style mère de la mariée. Vous aimerez le chapeau à ruban amovible, que vous pourrez remplacer par un foulard, un bandana, des fleurs ou des rubans de différentes couleurs, selon votre humeur et l'occasion.

Le chapeau de paille est un complice quasi quotidien, qui va aussi bien avec le jean qu'avec un tailleur. En général, la paille fine est plus chic et la plus grossière compose des chapeaux d'allure plus décontractée.

Ne confondez pas plage avec ville. Certains modèles de chapeaux de paille appartiennent davantage aux vacances et au bord de mer qu'à la vie urbaine. Des exemples? Le chapeau bon marché à bords effilochés; les modèles en paille grossière qui ont l'air d'avoir été achetés quelque part sur une plage du Mexique; les chapeaux garnis d'étoiles de mer et de coquillages.

Autrefois, on sortait son chapeau de paille à Pâques et on le rangeait à la fête du Travail. Cette façon de faire n'a à peu près pas changé. Sortez votre chapeau début mai et remplacez-le par un calot ou un béret dès les premiers jours de septembre.

La chapska
Un nom à consonance étrangère (en fait, c'était jadis la coiffure des soldats polonais) pour un chapeau qui va

comme un gant au climat québécois. C'est ce fameux chapeau à grandes oreilles terminées par des cordons qu'on rabat ou qu'on noue sur le dessus de la tête. Les policiers de la Gendarmerie royale en portent depuis des années. En version classique, il est en fourrure ou en peau lainée. Toutefois, comme la chapska est revenue à la mode depuis quelques années, les manufacturiers se sont mis à en produire en nylon, en lainage et dans plusieurs autres tissus, doublées de peluche ou de fourrure vraie ou fausse.

▶ **Comment choisir?** Les modèles en peau lainée font habituellement plus masculins. Préférez les chapskas en nylon et doublure de couleur ou les modèles en cuir doublés de fourrure. Pour la fourrure synthétique, essayez bien le bonnet avant de l'acheter. Ces matières-là causent parfois des démangeaisons inexplicables.

Une chapska convient à merveille à tous ces manteaux à l'esprit militaire, courts ou longs, apparus ces dernières années. Portez-la aussi avec un caban ou un manteau en lainage marine, avec une fourrure sportive ou, si elle est en nylon, pour le ski de randonnée et les activités de plein air.

La chapska est d'abord un chapeau sport. Donc, avec un vison, un manteau ou une tenue chic, on devrait porter autre chose. Un feutre, par exemple. De plus, comme c'est au départ un chapeau masculin, il conviendra vraiment mieux à celles dont les traits et le visage sont délicats. Normal, les contrastes s'attirent!

Affaire de couleur

Quelle couleur le bonnet de laine, le béret, la casquette? Si vous en avez plusieurs, la meilleure façon de choisir est de regarder le ciel. S'il faut soleil, préférez une couleur vive. Si le temps est gris, allez-y avec des teintes plus neutres.

Évitez le chapeau rouge avec les gants rouges, le sac et les chaussures rouges. On ne fait plus ça depuis 30 ans.

Le chapeau avec un grand «C»

C'est celui qu'on porte davantage par souci d'élégance que par nécessité. Et comme la coquetterie est de moins en moins à la mode, le monde des chapeaux en souffre un peu. Pourtant, on ne compte plus les arguments qui jouent en faveur du chapeau: il a l'avantage de mettre les traits en valeur et rend élégant tout ce qu'il accompagne.

Les formes autant que les matières doivent servir de bases sur lesquelles appuyer votre choix.

▶ La paille, le coton, le raphia, le tissu et les matières végétales composent habituellement des chapeaux à porter pour la saison printemps-été.

▶ Le feutre, la laine, la fourrure, le nylon, le velours et la majorité des matières synthétiques sont le plus souvent les composantes des chapeaux que l'on porte en automne et en hiver.

Comment trouver la forme de chapeau qui vous convient le mieux?

En matière de chapeaux, les contraires s'attirent, nous l'avons déjà dit. Donc, celui qui vous ira bien fera contraste avec la forme de votre visage.

▶ Si vous avez le visage long, carré ou les traits anguleux, tous les chapeaux ronds vous avantageront. Portez un melon, une capeline à tête ronde, un bonnet, un chapeau cloche...

▶ Les visages ronds ou plus ovales seront mieux mis en valeur par des chapeaux plus carrés ou comportant peu de formes rondes: canotier ou feutre, toque ou tambourin, par exemple.

D'autres bonnes idées pour vous faire une belle tête
▶ Un bonnet de laine à bord roulé. Avec des lunettes de soleil sportives et une belle doudoune, c'est vraiment chic.
▶ Un bob (c'est un chapeau de coton à bords surpiqués) pour aller à la plage et un chapeau à larges bords en tissu (genre Tilley) pour les activités de plein air.
▶ Une tuque en molleton à détails amusants. Elle est parfaite pour jouer dehors avec les enfants. Faites-la vous-même si vous possédez une machine à coudre. Le molleton ne coûte presque rien et on trouve des patrons rigolos dans les magasins de tissus.

▶ Un tambourin brodé. Pour ajouter un peu d'exotisme à toutes les tenues décontractées de l'été. On trouve ces tambourins dans les boutiques qui offrent des accessoires à saveur ethnique.

Le chapeau et l'occasion

Qu'est-ce qui se porte quand? Il n'y a plus de règles strictes comme autrefois quant au choix d'un chapeau. Mais ce qui suit prévaut toujours.

▶ Plus le bord du chapeau est large, plus il est élégant.

▶ Les chapeaux ornés de fleurs, de fruits ou de plumes conviennent mieux aux occasions spéciales.

▶ La paille rose ou blanche ne se porte pas dans un mariage à moins que vous ne fassiez partie du cortège.

▶ Après 20 heures, on est mieux nu-tête qu'avec un chapeau (bien sûr, on ne parle pas ici des couvre-chefs d'hiver).

LES FOULARDS

Immense sur les épaules ou minuscule avec un petit nœud autour du cou, le foulard est toujours la plus élégante des touches finales.

Ce qu'il faudrait avoir

▶ Au moins un carré de soie, pour habiller votre décolleté, pour donner du punch à une veste unie, aviver un imper ou habiller un beau chemisier.

▶ Plusieurs écharpes en chiffon. Rentangulaires, carrées ou oblongues, petites et grandes, achetez-les dans les grands magasins, dans les boutiques d'escomptes... J'en ai même déjà vu à la pharmacie! Le plaisir, c'est qu'on peut miser sur la quantité. Du chiffon de polyester, c'est donné.

▶ Une écharpe longue et rectangulaire en soie, à coupler à votre fourrure, votre manteau ou votre imper. Jouez la sobriété et investissez dans le durable.

▶ Un foulard de lainage frangé, avec du cachemire ou non, pour l'hiver. Si votre budget le permet, ayez-en un de couleur neutre et un plus vif.

▶ Un grand châle carré (il ressemble à un poncho) pour habiller votre veste les premiers jours d'automne. Ils coûtaient une fortune il y a quelques années, mais leur popularité a forcé les grands manufacturiers à nous en offrir à des prix plus décents. Les portefeuilles bien garnis pourront se permettre un mélange laine et cachemire ou un modèle orné de fourrure; les petits budgets pourront se tourner vers le lainage ou le molleton.

Une bonne façon de donner une allure plus actuelle aux vêtements qui le sont moins: les coordonner à un foulard de la couleur dernier cri du moment ou de la matière en vogue de la saison: chenille ou laine bouclette, panne de velours ou satin, fausse fourrure ou lainage texturé. Si vous ne savez pas quoi acheter, les magazines de mode peuvent vous inspirer.

Quelques mariages réussis

▶ Le manteau et le foulard très longs. Très élégant.

▶ Le petit foulard rouge au cou avec un jean et un pull marin.

▶ Un grand carré de soie luxueux sur une robe discrète. Classique et de bon goût.

▶ Un grand châle sur un tailleur ou un ensemble en tricot. Éternel.

▶ Une étole ou un grand foulard oblong en organza, en velours ou en satin pour le soir. Chic et différent.

Le foulard catastrophe

▶ La grande écharpe imprimée noir et blanc façon keffieh palestinien. Laissez-le donc à M. Arafat et à ses compatriotes. De toute façon, ce n'est pas un foulard: c'est une coiffure.

▶ Le faux Hermès et le faux Chanel, rapportés d'Asie ou de New York. Il y a mieux ici pour moins cher!

▶ Un foulard ostentatoire, avec signature au centre du dos. Pourquoi ne pas y laisser l'étiquette avec le prix, pendant que vous y êtes?

▶ Le foulard qu'on cherche à nouer de mille façons compliquées. Demeurer simple va mieux à tout le monde.

▶ Le châle accroché à l'épaule de l'imper. Encombrant, inutile... Pourquoi fait-on cela?

LES BIJOUX

Toutes les matières imaginables servent à la confection de bijoux, de la pâte de verre aux pierres précieuses, de la résine au caoutchouc recyclé, des métaux précieux à l'acier le plus banal. Laissons les joyaux au joaillier et concentrons-nous plutôt sur les bijoux mode, qu'on change au fil des ans et des saisons.

Les boucles d'oreilles

Elles ne sont plus en plastique, heureusement, et elles ont aussi cessé d'être immenses comme des cymbales, quoiqu'on ne sait jamais, la mode a parfois de ces coups de foudre pour les vestiges du passé...

On devrait avoir: des perles de plusieurs couleurs différentes ou des pastilles et des clips en métal pour le bureau. Quelques belles extravagances pour le soir (genre grappe de fruits ou fleurs géantes) et des créoles (des anneaux réguliers) parce que ça revient toujours, c'est cyclique.

On laisse aux autres: les trucs qui teintent et qui sonnent, les plumes, les breloques en forme de ceci ou de cela (genre la couturière et ses boucles d'oreilles en dé à coudre) et les pendentifs, façon Elizabeth Taylor dans *Cléopâtre*.

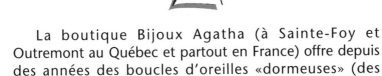

La boutique Bijoux Agatha (à Sainte-Foy et Outremont au Québec et partout en France) offre depuis des années des boucles d'oreilles «dormeuses» (des anneaux) auxquelles on peut assortir une multitude de breloques différentes, toutes plus jolies les unes que les autres. On achète les anneaux une fois, puis on change les breloques selon la mode et notre humeur du moment. L'idée est géniale, d'autant plus que ces bijoux sont d'excellente qualité.

Or ou argent?

Tout dépend de la couleur de vos vêtements. Et de l'occasion.

• L'or est toujours perçu comme plus chic, l'argent est plus décontracté. Faites le test sur du noir: argent et noir est décontracté, or et noir est plus élégant.

• Les couleurs chaudes ou qui contiennent du jaune se marient mieux avec du doré: le beige, le rouge et le rose, les orangés, les bruns. Blanc et or est toujours mieux que blanc et argent.

• Tout ce qui se rapproche du gris ou qui contient du gris va mieux avec de l'argent: taupe, charbon, sarcelle, gris souris...

• Le noir, le bleu, le vert et le violet vont avec les deux, indifféremment.

• Les perles vont avec l'or. Elles perdent tout leur charme avec de l'argent.

Les colliers

Le collier, c'est un monde qui va des perles jusqu'à la ficelle dans laquelle on enfile son porte-bonheur. On a toutes craqué pour les avalanches de perles, vraies ou fausses, en même temps que Barbara Bush, mais force est de reconnaître qu'aujourd'hui, la modération a bien meilleur goût.

On devrait avoir: des chaînes argentées pour les sorties décontractées. Un collier de perles, vraies ou fausses, mais de qualité. Un collier pour le soir, spectaculaire ou carrément dépouillé, genre tour de cou doré ponctué d'une pierre.

On laisse aux autres: le collier avec un foulard ou un col roulé. Les rangs de perles et les colliers qui vont frôler la ceinture. Les brillants à 9 h du matin. Les enfilades répétées de perles et de bric-à-brac. On croira que vous les vendez.

Les bracelets

Ils ne sont pas indispensables, loin de là. Surtout depuis quelques années, alors que les bijoux sont de plus en plus discrets et de moins en moins nombreux dans nos coffrets.

On devrait avoir: une série de bracelets simples et fins argentés, une autre de dorés. Une belle chaîne à gros maillons, dans les deux métaux également. D'autres bonnes idées: un bracelet à breloques, des bracelets en raphia ou en bois et des trucs en plastique bon marché pour l'été. Et, pourquoi pas, un bracelet à enfiler sur le bicep. Ça fait rebelle et sexy.

On laisse aux autres: les bracelets qui cognent sur le bureau toute la journée ou sur les verres et les assiettes au restaurant. Les gros trucs encombrants qu'on porte en dehors des occasions spéciales.

Allez voir ailleurs

Vous pourrez trouver des bijoux épatants dans des endroits insoupçonnés, c'est-à-dire dans les boutiques spécialisées en marchandise ethnique — elles vendent surtout, habituellement, des articles de décoration —, les boutiques de musées ou de sites touristiques ainsi que les magasins d'antiquités. Pensez aussi à faire un tour de temps à autre dans les marchés aux puces: ces temples du mauvais goût recèlent parfois des choses intéressantes à bon marché.

LES GANTS

Si les Européennes adorent en porter avec tout et tout le temps, c'est qu'elles le font par choix et non par obligation, ce qui n'est pas notre cas malheureusement. C'est pour la même raison que chaque fois qu'on a tenté de nous les imposer dans les collections printemps-été, ça n'a pas marché. Chez nous, le gant disparaît du paysage aussi vite que la neige sous un soleil d'avril. Et le designer qui pourra changer cela n'est pas encore né.

Payez moins cher pour vos gants et achetez-en deux paires semblables. Ça évitera de vous retrouver dépourvue devant les bises de mars, alors qu'il est plus facile de trouver des sandales et des maillots de bain que des gants dans les magasins.

Vos essentiels

▶ **Des gants de cuir doublés,** noirs ou brun foncé, pour tous les jours en automne et en hiver.

▶ **Des gants de laine.** Une paire doublée en *Thinsulate,* l'autre sans doublure, plus légère, pour les tenues week-end.

▶ **Des gants ou des moufles «grand froid».** Pour déneiger l'auto et pelleter la neige (cela vous permettra de ne pas abîmer vos beaux gants de cuir) et aussi pour les sports d'hiver et les activités extérieures. Achetez-les dans un magasin de plein air ou de vêtements de travail: ils ne sont pas toujours jolis, mais à -20 °C, on peut bien sacrifier un peu de sa coquetterie.

À deux c'est plus chaud

Vous en avez soupé de vous geler les mains en attendant l'autobus ou en marchant jusqu'au bureau quand il fait très froid? Une solution: enfilez de gros gants bien doublés par-dessus vos gants de cuir. Une fois au chaud (dans l'autobus, dans le métro ou ailleurs) glissez-les dans votre serviette ou votre sac à chaussures et retrouvez instantanément votre élégance.

Les gants de couleur foncée sont un meilleur achat parce qu'il laissent moins voir les taches, l'usure à la poussière. On ne peut pas en dire autant des modèles doublés en fourrure de lapin ou en cachemire, deux matières qui s'useront plus vite que ne dure notre hiver.

Ils font la différence

▶ **Des gants de conduite** en cuir fin, à bouton pression et perforations.
▶ **Des gants longs satinés** pour le soir. Ce n'est plus à la mode, mais ça séduit irrémédiablement.
▶ **Des gants en tricot ourlés de fourrure.** Pourquoi ne pas coudre les restes d'un vieux manteau autour de vos gants pour leur donner du chic pour pas cher?

LES CEINTURES

Comme pour tous les autres accessoires de votre garde-robe, la stratégie gagnante consiste à privilégier la qualité pour les classiques et le quotidien et à faire des compromis du côté de ce qui est très tendance ou exubérant au point de n'être porté qu'en certaines occasions.

Vos essentiels

▶ Une ceinture brune ou fauve à boucle argentée ou dorée, les deux si vous avez les moyens. Choisissez-la de largeur moyenne (4 à 5 cm, soit 1,5 ou 2 po) pour braver toutes les modes et tous les caprices des créateurs.
▶ La même chose en noir.

D'autres bonnes idées

▶ Une ceinture en chaîne dorée, toute simple ou avec des breloques.
▶ Une ceinture en jute ou en sisal, à boucle de bois, pour porter avec du lin l'été.
▶ Une belle ceinture en suède velours avec une boucle spectaculaire, pour les grandes occasions.

La boucle en dit long sur le chic des ceintures, mais aussi sur les occasions qui lui conviennent le mieux. La boucle dorée est la plus chic, suivie par l'argent. En version mate ou patinée, les deux sont plus sport. La boucle recouverte de cuir passe plus inaperçue et convient quand une tenue sobre est de rigueur. Même chose pour la ceinture en tissu à boucle recouverte, qui est conçue pour les vêtements plus légers (veste d'été, robe). Le cuir livre aussi de bons indices sur l'usage à réserver aux ceintures. Ça fonctionne comme pour les chaussures: plus il est brillant, plus il est chic.

Les belles ceintures griffées vous font rêver? Elles font aussi rêver de profits de nombreux manufacturiers, qui s'empressent de les copier ou d'en offrir des versions quasi semblables à bien meilleur marché. Au lieu de vous précipiter dans les boutiques dès le début de la saison, attendez quelques semaines et rendez-vous plutôt à la section accessoires des grands magasins. Votre patience a toutes les chances de vous permettre de sauver bien des dollars sans sacrifier votre look.

La ceinture de qualité

▶ Si elle est en cuir, celui-ci est lisse et bien épais.
▶ Si elle est en tissu, elle est montée sur une entredoublure et le dos de la ceinture est recouvert d'une couche de vinyle ou de cuir collée ou cousue avec soin.
▶ Ses bords sont piqués et teints de la même couleur que le reste de la ceinture.
▶ Elle est doublée de cuir ou de vinyle en version moins chère. Ça évite la teinture noire qui laisse des traces sur les vêtements clairs.
▶ La boucle, enfilée dans la ceinture, est retenue par une couture et pas seulement par des rivets.
▶ Si la boucle est massive, elle est en métal plein, et non creux. Si elle est recouverte de tissu ou du même cuir que

la ceinture, celui-ci est cousu et non simplement collé sur la boucle.

Ceinture et silhouette: **5** conseils

1 La ceinture qui s'accorde avec le haut allonge le corps. Portée sur les hanches, l'effet est encore plus marqué.

2 À l'inverse, une ceinture qui se marie à la teinte de votre jupe ou de votre pantalon fera paraître le bas de votre corps plus long.

3 Quand on est petite, on pense petite, comme dans ceinture fine et petite boucle.

4 Une ceinture bien large avec une boucle qui sait se faire remarquer fera oublier une poitrine menue comme par magie. La même chose avec un buste généreux fera klaxonner les camionneurs.

5 La taille épaisse s'accommode parfaitement d'une ceinture de la même couleur que le pantalon. Ne la portez pas trop serrée pour ajouter à l'effet camouflage.

Erreurs de taille

▶ La ceinture large en élastique pour gommer les bour-relets. Ça ne marche pas, sauf dans l'imagination.
▶ Le gros truc en cuir noir clouté à plein avec des jeans. Il ne manque plus qu'une cartouchière et vous êtes prête pour le gang de motards.

▶ Les ceintures qui en jettent, avec dorures et chaînettes, médailles et cabochons. Ajoutez à cela des boucles d'oreilles et des bracelets à la pelle et en route pour le marché aux puces.

LES COLLANTS

Ils sont apparus dans les années 60, puisque la minijupe ne tolérait pas les jarretelles. C'est la designer anglaise Mary Quant qui, la première, associa des collants de danseuses à ses robes ultracourtes bien avant que le basculotte — c'était son nom à l'origine — ne fasse officiellement son apparition dans les magasins en 1967.

Collant fin, voile ou diaphane?

Tout dépend de la tenue que l'on porte. La transparence et la finesse du collant, on s'en doute, sont proportionnelles à l'élégance de ce que l'on porte: robe du soir avec collant fin, jupe en jean et collant opaque. Les collants offerts en magasin sont classés d'une façon très arbitraire: le collant voile d'une marque s'appelle ultra-diaphane dans une autre et ultra-fin dans une troisième. Tout cela n'est finalement qu'un assemblage de qualificatifs qui ne veulent pas dire grand-chose.

Du poids et de la transparence
La finesse des fils qui composent un collant se mesure en deniers. À l'origine, le denier était utilisé pour mesurer la finesse des fils de soie. Le nombre de deniers, pour la

soie comme pour le nylon, est le poids en grammes pour 450 mètres de fil. Plus le nombre de deniers est élevé, plus le fil est lourd... et plus le collant est opaque.

Lisez les emballages: presque toutes les marques indiquent le nombre de deniers de leurs collants. Vous verrez que les collants ultrafins (et fragiles) sont en nylon 10 deniers et que les plus opaques tournent autour de 70 deniers. Le collant que l'on porte tous les jours est en général du 20 deniers.

Vos essentiels

▶ Des collants diaphanes de couleur neutre, bon marché, pour le quotidien. Choisissez des tons plus chauds pour le printemps-été puis des gris et des noirs pour l'automne et l'hiver.
▶ Des modèles opaques pour les tenues sport. Le noir est bien sûr le meilleur choix, avec quelques classiques tels que le rouge, le gris, le bourgogne, pour les jupes en jean et les tenues sport.
▶ Un collant en laine côtelée pour les jours de grand froid.

Rayon chaussettes
▶ Portez des couleurs sombres ou du diaphane avec les pantalons classiques. Plus les chaussettes sont épaisses, plus elles conviennent à des tenues décontractées.
▶ Essayez les modèles à losanges Argyle, les chaussettes texturées comme celles des hommes et les rayures fines.
▶ Bannissez les mi-bas (ceux qui finissent sous le genou) si vous souffrez de varices et évitez-les avec une jupe même si vous aimez le look collégienne. Après 15 ans, c'est complètement ridicule.

Pourquoi payer plus pour un collant qui porte le nom d'un couturier? Personne ne saura que vous avez payé 15 $ pour un collant dont l'emballage est griffé. Ces produits sont semblables, à quelques détails près, à ceux des grandes marques nationales (qui sont d'ailleurs plus résistants, bien souvent, que leurs cousins importés).

Enfiler un collant selon toutes les règles de l'art
Après toutes ces années, vous savez quoi faire, dites-vous. Sûre? Voyez plutôt la façon de faire proposée par la compagnie WonderBra. En procédant ainsi, vous réduisez presque à néant les risques de faire des mailles en enfilant votre collant.

1 Asseyez-vous, roulez le collant jusqu'aux pointes et enfilez chaque jambe jusqu'au genou, quelques centimètres à la fois, en alternant chaque jambe.

2 Levez-vous et continuez de monter le collant jusqu'à l'entrejambe.

3 Étirez le collant jusqu'à la taille, sans tirer.

Avec des gants blancs

Pour éviter de briser les collants fins (et souvent coûteux), faites comme nos grands-mères lorsqu'elles enfilaient leurs bas de soie: prenez-les avec des gants de coton. Vous en trouverez, notamment, dans les boutiques spécialisées en photographie. Notez également que la compagnie Fogal, qui donne dans les collants à 25 $ et plus, vend de ces gants mais aussi des culottes sans coutures pour éviter de faire des mailles dans vos précieuses acquisitions. Cette marque suisse est offerte chez Holt Renfrew au centre-ville de Montréal.

Une belle jambe en **5** points

1 Les couleurs claires et le collant voile exigent une jambe et une cheville fines car ils ne pardonnent rien. Même chose pour la résille, les motifs et le collant lustré.

2 Plus la jupe est courte, plus le collant gagne à être opaque.

3 Le collant opaque avec une chaussure de même couleur allonge et avantage toutes les jambes.

4 Les jambes maigrichonnes préféreront les collants épais ou à motifs larges ou grosses côtes. Le collant de laine côtelée leur va toujours à merveille. Ça vaut aussi pour le *legging*.

5 Si vos jambes manquent de tonus, choisissez un collant à fort pourcentage de lycra (15 % ou plus). C'est champion pour garder les choses en place.

Quelques associations réussies
▶ Un beau collant côtelé en laine avec une jupe en jean et des flâneurs.
▶ De grosses chaussettes blanches avec des chaussures de sport.
▶ Des bas à couture à l'endos avec des escarpins noirs pour un souper à deux. Avec ça, il avouera son amour avant le dessert.
▶ Une résille très fine avec une robe chic. Vraiment chic.
▶ Le tailleur de tous les jours avec le collant invisible. Parfait.

Rendez-vous manqués
▶ Un collant voile, imprimé ou à gros motifs sur une grosse jambe. Gros zéro.
▶ Des sandales plates avec un collant diaphane. On voit ça bien plus souvent que vous ne le croyez.
▶ Le collant chair avec du jean. Une chaussure blanche, avec ça?
▶ Le collant blanc pur, qui fait des jambes bleutées comme une pensionnaire de la morgue. Préférez l'ivoire, le vanille, le blanc os.
▶ Le collant diaphane marine. Il ne va avec rien.

LE SAC

C'est le point final qui signe un look. Pourtant, à force de passer chaque jour la bandoulière de leur sac sur leur épaule, plusieurs femmes vont jusqu'à en oublier la couleur et l'allure. Dans le pire des cas, cela nous donne le sac bavolet en croco blanc avec bandoulière détachable sur l'épaule d'un manteau d'hiver. Au mieux, c'est la «grosse sacoche» qui traîne son avoir du cocktail jusqu'au restaurant.

Le secret pour éviter cela est pourtant bien simple. C'est la variété! Un bon fourretout solide pour aller travailler, une grande pochette pour le lunch avec les clients, un baluchon pour les week-ends, un petit sac à bandoulière pour dépanner et un autre pour le soir. Si vous avez les sous, ajoutez à cela un petit modèle en paille pour l'été et un autre qui fait plus «hiver». Seuls les sacs qu'on utilise tous les jours valent la peine qu'on sorte plusieurs billets verts (ou même quelques rouges). Achetez à moindre prix ceux pour le soir ou les occasions spéciales, ou payez un peu plus en vous assurant de choisir un style classique qui tiendra des années.

De matières et de couleurs

Le sac de la même couleur que les chaussures est une règle à laquelle on ne souscrit plus, nous l'avons déjà dit. Au lieu de vous précipiter sur toutes les couleurs à la mode, munissez-vous de l'essentiel avec du noir, du fauve (c'est le terme français pour la couleur tan) et du brun.

▶ Comme pour les chaussures, le noir est plus chic, le brun et le fauve plus sport. Le blanc, le rose et autres fantaisies sont des coups de cœur intéressants quand on achète à bon prix.

▶ Les matières brillantes ou laquées (cuir verni ou satiné, vinyle) font naturellement plus habillé, le cuir naturel et le *nubuck* sont plus sportifs et plus quotidiens.

▶ Le croco fait riche, indémodable. Il quitte le monde des tendances régulièrement, puis revient. Conclusion: on paie son croco cher, mais on le conserve longtemps.

▶ La toile, la paille et le jute sont associés à l'été. Rangez tout ça sitôt la fête du Travail passée.

Le sac de qualité en **5** points

1 Évidemment, une matière première est de bonne qualité. Du cuir bien souple, «vivant» et doux au toucher; du vinyle de bonne épaisseur, bien lisse; du nylon doux au toucher et de la toile bon teint, sans grosseurs (ce sont ces petites boules qui surviennent lorsque le fil se casse au cours du tissage).

2 Il est doublé en entier. Les sacs bon marché sont doublés de vinyle ou de nylon satiné, les plus chers le sont en cuir.

3 Il comporte au moins une poche intérieure. Elle est zippée et c'est l'endroit où glisser les petits objets que l'on passe son temps à chercher (des clés et des tickets d'autobus, par exemple).

4 La quincaillerie est de bonne qualité. Rien n'est plus frustrant qu'une boucle ou un fermoir qui se casse après trois mois. D'autant plus que la plupart du temps, on ne peut pas les réparer. Rayon fermoir toujours: évitez les modèles aimantés. Ils ne durent pas (sans compter qu'ils sont aussi mortels pour les cartes bancaires et les disquettes).

5 La finition est de bonne qualité, c'est-à-dire des coutures droites et bien bloquées, sans noeuds ni fils qui dépassent, une bandoulière doublée, surpiquée des deux côtés et, pour un sac dont on se sert souvent, des bords passepoilés (c'est-à-dire soulignés d'un cordon recouvert de vinyle ou d'un autre tissu).

L'affaire est dans le sac!

Quelques astuces pour mieux choisir:

▶ Le sac qui vous conviendra le mieux est celui qui s'accordera aux proportions de votre corps. Il sera plus petit si vous êtes petite et plus gros si vous êtes plus grande ou plus enveloppée. Le sac Barbie dans les mains d'une femme de 1,80 m a vraiment l'air... d'un sac de Barbie.

▶ Le fourre-tout sur le gros manteau d'hiver est aussi encombrant que difficile à transporter. Préférez un sac plus petit avec, si vous le souhaitez, une bandoulière qui peut se passer en travers du corps.

▶ Le porte-documents et le sac à main ne sont pas faits pour s'entendre. C'est l'un ou l'autre ou mieux, c'est un beau fourre-tout en cuir ou en nylon. Certains modèles sont conçus spécialement pour celles qui brassent des affaires. Ils accueillent avec autant de bonheur les trousses à maquillage que les ordinateurs.

▶ Pensez sécurité et préférez les sacs munis d'un zip sous le rabat, même chose pour le sac à dos; évitez les bandoulières très longues, tellement faciles à attraper, et le sac à demi-ouvert qui se promène sur la hanche.

▶ Pour le magasinage, pour aller danser ou pour voyager, le sac-ceinture est un indispensable. Il n'est peut-être pas aux premières loges côté tendances, mais on n'a encore rien trouvé de mieux pour faire échec aux pickpockets.

10.

Les chaussures

Le chic
commence toujours
par les pieds

U n jour, le portier d'une discothèque ultrabranchée à qui j'ai demandé comment il s'y prenait pour trier, parmi les gens qui formaient la file d'attente qui se déroulait devant lui, ceux qui passeraient la porte de ceux qui passeraient la soirée sur le trottoir, m'a confié: «Je regarde les chaussures. Ça peut sembler idiot, mais je suis convaincu que c'est la chose qui en dit le plus long sur les gens.»

La directrice des Ressources humaines d'une grande banque, dans le cadre d'un article sur les vêtements à porter au bureau, m'avait tenu à peu près le même langage. Confrontée, elle aussi, à la difficile tâche de trier l'ivraie du bon grain, elle m'affirma spontanément que les chaussures faisaient partie des choses qu'elle regardait pour juger des qualités d'un candidat. Une personne soignée, qui a le sens du détail et qui est soucieuse de son image, m'avait-elle dit, ne se présentera pas à une entrevue en escarpins dont le talon usé jusqu'au fer claque à chaque pas. Vraiment? Pourtant, des horreurs pareilles, on en voit tous les jours, entrevue ou pas.

Outre le fait que les chaussures sont l'ultime touche finale qui signe votre look, ce que vous mettez à vos pieds influence beaucoup votre démarche, traduit ce que vous projetez et, jusqu'à un certain point, joue sur votre humeur de la journée. Imaginez-vous condamnée à passer la journée les pieds coincés, le dos en marmelade, ampoules aux pieds, juchée sur de hauts talons qui vous rappellent leur présence à chaque pas... Dire qu'on s'est indigné devant les pieds bandés des Chinoises!

N'allez pas comprendre par là qu'il faille passer sa vie en ballerines ou en souliers orthopédiques. Simplement, ce qu'on devrait faire, c'est porter la bonne chaussure au bon moment. Mais avant de s'attaquer à la question, voyons ce qui est disponible sur le marché et faisons le point sur ce qui vous permettra de distinguer des chaussures de qualité d'une paire de savates qui ne vaut même pas la boîte qui les contient.

Dans ce chapitre, nous parlerons des bottes et des chaussures. Au Québec, ce sont deux choses différentes, on le sait, car nos bottes à nous sont à des lieues de ces belles grandes choses en cuir patiné qu'on nous montre dans les magazines français et qui ont autant d'affinités avec nos hivers que la Parisienne qui les portera.

10 commandements pour bien acheter

1 N'achetez jamais des chaussures tôt le matin ou en fin de journée. Pourquoi? Parce qu'au fil de la journée, vos pieds finissent par enfler. La chaussure qui vous ira comme un gant le matin risque d'être trop petite et celle choisie le soir un peu trop grande. Le meilleur moment? La fin de l'après-midi.

2 **Mettez-y le prix.** Une chaussure pour tous les jours doit absolument être de meilleure qualité (donc, un peu plus chère), qu'un modèle pour le soir, qu'on ne portera que quelques heures à l'occasion. Bien des femmes font le contraire, malheureusement.

3 **Évitez les achats impulsifs.** Ce n'est pas facile, mais combien d'entre vous ont empoussiéré leur placard avec des godasses achetées sur un coup de tête à une quelconque «vente trottoir»? J'en suis, hélas!

Ce qui veut dire que si vous souffrez du syndrome d'Imelda (Marcos), laissez votre carte de crédit à la maison et traversez la rue chaque fois que vous passez devant une boutique de chaussures!

4 **Apportez avec vous une chaussette ou un bas** que vous passerez avant d'essayer la chaussure convoitée. Pensez aux dizaines de clients qui ont enfilé avant vous la chaussette grisâtre que vous tend le vendeur. Cela devrait vous aider à ne jamais oublier votre chaussette pour l'essayage.

5 **Essayez les deux chaussures.** Personne n'a les deux pieds exactement semblables. Nouez les lacets, pliez les pieds et marchez, dans le magasin et ailleurs, sur une surface plus dure. Avez-vous remarqué que le plancher des boutiques de chaussures est presque toujours recouvert de tapis moelleux? C'est pour mieux vous faire acheter, mon enfant!

6 Si vous achetez une chaussure à coordonner à un vêtement particulier, **ayez sous la main un échantillon de tissu de ce vêtement,** apportez votre vêtement dans un sac ou mieux, portez-le.

7 Avant de sortir votre portefeuille, **renseignez-vous sur les politiques de retour en vigueur dans le magasin.** Contrairement à ce que croient bien des gens, le marchand n'est pas tenu de vous rembourser si votre achat ne vous satisfait pas.

8 Ne vous laissez pas raconter des sornettes du genre: **«Avec le temps, ne vous en faites pas, elles s'étireront.»** Le cuir s'étire, c'est vrai, mais c'est parce qu'on le force. Et ce n'est pas nécessairement une bonne chose.

9 Autre légende: **vos chaussures ne sont pas confortables mais le deviendront avec le temps.** Le cuir très épais peut s'assouplir, c'est vrai (je pense aux bottes de cow-boy, par exemple), mais un soulier qui fait mal aux pieds ne cessera de vous faire souffrir que le jour où vous vous en débarrasserez.

10 **Évitez le similicuir et le plastique.** Ils font transpirer les pieds, peuvent causer des ampoules et des mauvaises odeurs. Vérifiez, au besoin, la matière utilisée en retournant la chaussure. La semelle gravée *leather upper* prouve que c'est du cuir.

Des indices de qualité qui ne trompent pas

▶ Le cuir a un parfum... de cuir. Il est souple et brillant. Un test: frottez la chaussure fermement avec le pouce. Expert ou non, vous sentirez tout de suite la différence entre la qualité du cuir véritable et le toucher bon marché du vinyle.

▶ Les semelles intérieures sont en cuir. Une semelle en vinyle fait transpirer et peut causer du pied d'athlète et d'autres infections fongiques. Si vous aimez une chaussure au point de l'acheter même si sa semelle intérieure est en vinyle, passez chez le cordonnier pour la faire changer.

▶ La semelle est en caoutchouc (le *Vibram* est le nec-plus-ultra), en crêpe ou en cuir, mais pas en vinyle. Le vinyle, en plus d'être glissant, casse facilement, notamment si les chaussures sont froides. Les porter dehors sous le point de congélation, c'est signer leur arrêt de mort.

▶ Les œillets de laçage sont cerclés de métal. Si ces petits anneaux ne sont pas là, les trous où sont enfilés vos lacets risquent à la longue de se déchirer.

▶ Les chaussures en suède sont doublées, pour ne pas déteindre sur vos bas ou vos chaussettes.

▶ La quincaillerie (boucles, attaches, rivets) est de belle facture et le métal est bien lisse. Autrement, chaque fois que vous les porterez, vous risquerez de déchirer votre collant. Frustrant.

▶ Les coutures sont bien droites. Examinez bien la couture médiane du talon, c'est votre meilleur indice. Les points sont petits, le fil ne comporte pas de nœuds.

▶ La semelle intérieure est imprimée ou gravée au nom du fabricant et ne comporte pas de ces étiquettes adhésives qui laissent leur colle sur les chaussettes ou les bas à la première occasion.

Vous n'êtes pas certaine que la chaussure convoitée est vraiment confortable? Renseignez-vous sur la politique d'échange et de remboursement de la boutique où vous achetez. Si vous pouvez les échanger facilement, apportez-les à la maison et portez-les en enfilant par-dessus des mi-bas de nylon. Ou mieux: couvrez les semelles et les talons de ruban-cache *(masking-tape)*. C'est ce que font les coordonnatrices de mode pour ne pas abîmer les chaussures lors de prises de photos. Voilà. En essayant vos chaussures à votre aise, à la maison, vous arriverez peut-être à mieux fixer votre choix.

Une chaussure trop étroite ne s'allongera jamais, mais si elle serre un peu sur la largeur, vous pouvez faire quelque chose. Votre cordonnier offre un produit en vaporisateur appelé *Extenseur de cuir* (Tana), que vous vaporisez dans les chaussures, aux points critiques, avant de les enfiler. Vraiment efficace.

Pour des chaussures qui durent et durent
Si le dessous de la semelle est lisse, faites-la doubler d'une semelle antidérapante en caoutchouc (de marque Topy). Non seulement augmenterez-vous considérablement la durée de vie de vos chaussures, mais en plus, vous les rendrez silencieuses et ne risquerez jamais de glisser.

Révisez vos matières

▶ Le cuir verni est un cuir souple qui, comme son nom l'indique, est enduit d'un couche de vernis qui le rend plus ou moins brillant. Comme ce traitement le rend aussi un peu moins souple que le cuir naturel, bien des élégantes, croyant réaliser l'aubaine du siècle, se font refiler du vinyle. Un truc pour vous assurer de son authenticité? Essayez de voir l'endos ou les rentrés de couture; l'envers d'un cuir est un peu velu, tendre au toucher. Plier le cuir verni laisse une trace sur les chaussures; le vinyle reprend sa forme très vite et sans laisser de trace. Sentez l'intérieur de la chaussure (quitte à passer pour une folle): l'odeur du vinyle et du cuir, c'est deux. Enfin, une chaussure en cuir verni aura habituellement une semelle en cuir et possédera plusieurs des caractéristiques de qualité mentionnées précédemment.

▶ Le suède est un cuir qu'on a tout simplement retourné, puis teint. Un suède de bonne qualité est bien lisse à l'endos, signe qu'il provient de la portion supérieure de la peau, qui est la meilleure. Une chaussure coupée dans un suède sec, dont la couleur reste sur les pieds ou pire, sur vos mains, ne dit rien qui vaille. Les jours de pluie, vos souliers rouges risquent de laisser de belles pistes rosées sur les tapis...

▶ Le cuir naturel, souple, grenu, bien hydraté, a un chic aspect rustique qui convient particulièrement bien aux chaussures décontractées. Pensez Hush Puppies, Timberland et compagnie.

▶ Le *nubuck,* apparu dans les années 80, est en fait du cuir que l'on a sablé en surface pour lui donner un aspect mat et velouté. Un *nubuck* de qualité a les mêmes caractéristiques que le cuir.

▶ La toile sert à la confection des chaussures de tennis ou d'entraînement et des espadrilles. Notez qu'il s'agit de deux choses tout à fait différentes, mais que l'on confond souvent. Les premières servent à faire du sport, sont souvent blanches et ont une semelle de caoutchouc blanche elle aussi. Les secondes, avec leur semelle de crêpe et de sisal, sont habituellement terminées par des lacets que l'on enroule avant de les nouer sur les chevilles.

▶ D'autres tissus servent aussi à la confection de chaussures. On pense aux escarpins chic en gros-grain (une matière à fines côtes qui ressemble à du ruban) et au satin, classique en blanc pour la mariée.

LA GARDE-ROBE DE BASE POUR VOS PIEDS

Voici un aperçu des quelques modèles de base qui vous assureront de ne jamais vous retrouver le bec à l'eau, question chaussures, au moment de vous habiller. Avec elles, vous n'aurez plus d'excuses pour porter des talons hauts avec un jean ou des chaussures de sport avec un tailleur!

L'escarpin

Cette indispensable chaussure fine, à talon, est un classique depuis plus de 50 ans. Seules ont changé la forme de son talon et l'épaisseur de sa semelle.

Le bon achat

Un escarpin noir à talon de 8 cm, pour le soir et les occasions spéciales, un autre de même couleur, à talon plus bas, pour tous les jours et, si votre budget le permet, une troisième paire de couleur neutre (brun, fauve ou autre), à talon moyen elle aussi.

L'escarpin est le compagnon parfait des robes, des tailleurs, de tout ce qui est chic. Les jupes et les robes courtes de même que le pantalon s'accordent mieux avec les talons plus bas. On en trouve depuis quelques saisons de superbes variantes, lacées ou à barrettes comme un flâneur. Intéressant!

▶ Notre escarpin peut facilement verser dans le ridicule. En blanc ou en tons pastel, il exige une mise et un style particulièrement soignés. Les modèles habillés de chaînettes, de petits nœuds ou d'autres fanfreluches devraient être laissés aux danseuses de cabaret.

▶ L'escarpin à talon avec tout ce qui fait sport vous assurera une place sur la première marche du podium du mauvais goût. À fuir avec des jeans, des pantalons en coton kaki, un coupe-vent, un parka et tout ce qui leur ressemble.

▶ Le talon fin avec la jupe longue et fluide est une erreur mathématique. Jupe large = talon large, jupe fine = talon fin. Talon fin et pantalon, à de rares exceptions près, font eux aussi rarement bon ménage.

Le flâneur

Grand ami du pantalon, sport ou habillé, c'est la chaussure confort qui passe partout et qui, ces dernières années, a prêté son style à une foule de modèles de chaussures, des escarpins-sandales au bottillon. On le reconnaît à sa barrette sur le dessus, à son plastron large... et au fait que tout le monde l'appelle *loafer,* son nom anglais.

Le bon achat
Un flâneur en cuir lisse noir ou brun, pour lequel vous n'aurez pas hésité à payer le prix qu'il faut. Après tout, la merveille en question, si elle est classique, pourra être réparée maintes fois et durer des années.

Profitez des ventes de fin de saison pour vous offrir un flâneur plus extravagant. Comme toutes les chaussures très mode, le flâneur en croco rouge ou à talon haut ne sera dans le coup qu'au plus deux ou trois saisons. Il ne vaut pas la peine d'être acheté à plein prix, mais mettra du punch dans votre garde-robe et flattera votre portefeuille autant que votre ego de magasineuse avisée. Les meilleurs moments pour acheter: fin janvier et fin juin.

Les flâneurs conviennent à tous les styles de vêtements, tout simplement parce qu'ils existent en une variété quasi infinie de styles.

Attention au flâneur sport en cuir lisse avec un collant
diaphane. Ça fait vieille fille et en plus, même les jambes
parfaites en souffriront.

Le derby

En voici un qui a beaucoup de points en commun avec
le flâneur, entre autres celui d'être offert en une foule de
modèles. C'est la chaussure lacée qui ressemble à celle des
hommes, avec sa semelle noire et son bout perforé; c'est
aussi le fameux Doc Martens, ou la chaussure à gros talon
carré qui rappelle ce que portent les religieuses ou les
dames âgées, et qui, juchée sur un talon, a été remise en
goût du jour il y a quelques années.

Le bon achat

Un modèle d'allure masculine, en cuir lisse brun ou
bordeaux, perforé de petits trous comme ceux des
hommes. Choisissez aussi une chaussure noire à talon de 5
à 7 cm, en cuir ou en suède, pour le 9 à 5. Incontournable.

Le derby plat est un compagnon de premier choix pour le tailleur-pantalon, le jean, le pantalon sport. À talon plus haut, il raffole des jupe longues et droites, dont il met en valeur le séduisant côté rétro, mais s'accommode aussi très bien d'un pantalon joliment coupé.

Un derby avec une mini-jupe est une hérésie, un mariage indigne. Même chose avec un *legging.* Le style rétro du derby ne convient pas au côté moderne de ces deux vêtements.

Le bottillon

Celui-là peut avoir une classe folle. Voyez avec quelle grâce il enlace la cheville — qui est, dans notre inconscient, un point critique quand on parle séduction —, et, ce faisant, avec quel style il ajoute au galbe de la jambe, s'il ose monter plus haut sur la jambe.

Le bon achat

Empiècement élastique à la cheville, couleur neutre, à joli talon, votre bottillon, chèrement payé parce qu'italien, vous assurera de son chic pour des années à venir. En version sport, même chose: le bottillon à bout rond brave les modes et le temps comme pas un.

Merveilleux avec une jupe à plis imprimée, en tissu fluide. Superbe avec une jupe portefeuille fine et longue. Romantique avec une robe fleurie. Coquin avec un collant résille et un jupe moulante. Vraiment, celui-là est un caméléon sans lequel on ne pourrait vivre.

Le bottillon n'aime pas les mélanges de genres. Vous non plus, certainement. Bottillons et short, modèle chic en suède velours avec un vieux jean, talon vertigineux avec mini moulante sont autant de mélanges qui laissent un arrière-goût douteux.

La sandale

Avec des brides et un haut talon pour le soir, plate et avec une semelle comme un pneu pour la garde-robe week-end, talon carré et larges brides pour la petite robe d'été, la sandale, avec nos étés trop courts, est un plaisir à porter.

Le bon achat

Une sandale pour vous suivre de la ville à la plage, grâce à son petit talon, à son brun doré et à son style passe-partout; une autre plus habillée, pour le soir. Comme vous ne porterez cette dernière qu'en certaines occasions, évitez de vous lancer dans les folles dépenses et préférez l'indémodable à petit prix. Enfin, si c'est votre genre, une sandale large et confortable, façon *Birkenstock,* ajoutera au bonheur de vos matins paresseux et au plaisir de vos pique-niques.

Comme pour les escarpins, les vêtements qui s'accordent avec les sandales varient selon leur hauteur. Plus hautes, elles aiment le long et le fluide — *palazzo,* jupe à plis, robe classique, tailleur sobre. À petit talon, elles font plus sport. Donc, jean, jupe en jean, bermuda et ainsi de suite.

Sandales avec chaussettes

On le dit et on le répète, c'est infect. Mais il y a pire: la sandale blanche et le collant foncé, par exemple. Vous avez beau sourire, vous savez très bien qu'on en voit encore. Même chose pour la sandale avec le pantalon fuseau, ou celle que l'on porte avec un collant à pointe renforcée bien visible. Une suggestion: si vous devez porter un collant, choisissez-le bien diaphane et à pointes invisibles. Ou changez de chaussures.

La chaussure de sport

Celle-là, on peut dire qu'elle en a fait du chemin depuis 20 et même dix ans. Sortie des pistes et pelouses pour entrer dans nos garde-robes à titre de chaussure de loisir, elle est redessinée chaque année par des armées de designers innovateurs et audacieux. Tennis ou basket, chaussure d'aérobie, de jogging, multisports ou pour la marche, la chaussure d'entraînement, c'est un monde en soi.

Le bon achat
Il varie selon l'usage que vous prévoyez faire de la chaussure en question. Inutile d'entrer dans les détails de la technologie des chaussures de sport — ce n'est pas le but de cet ouvrage —, mais disons que si vous vous entraînez pour le marathon, vous devrez choisir avec plus de soin que si votre chaussure servira essentiellement à faire du style libre avec la tondeuse autour de la maison. Pour les chaussures de loisirs, l'équation est simple: plus elles sont «mode», plus elles sont élaborées et plus leur prix est élevé.

Qui dit sport dit tenue sport: *legging,* pantalon de nylon ou jean, bermuda en coton kaki, shorts de tout genre.

Les baskets et le tailleur, ça ne va pas, on l'a déjà dit. Si vos souliers vous font mal, troquez-les contre des talons plats, parce que le bureau n'est pas un gym. À moins d'être plongeuse ou concierge, oubliez les chaussures de sport pour le travail.

217

D'autres bonnes idées à vous mettre aux pieds

▶ Des escarpins ou des mules en tissu pour le soir. Dix sur dix.

▶ Des sandales de sport, à brides de nylon et semelle de caoutchouc. Pratiques quand il fait chaud, pour le bord de la mer ou les week-ends au chalet. Les grandes marques comme Nike et Reebok en offrent à prix fort et on en trouve, marque à la mode en moins, pour trois fois rien dans les grands magasins. Curieusement, la différence entre les deux semble minime.

▶ Des bottines de marche. On peut les porter hiver comme été, avec un short kaki pour les balades en forêt, avec un imper les samedis d'automne, avec un parka les journées d'hiver. Inutile d'investir une fortune: la plupart d'entre nous ne braverons jamais l'Everest.

▶ Des bottes d'équitation en caoutchouc. Pour rire de l'averse avec classe, pour enfiler sur des jodhpurs ou un fuseau, c'est d'un chic!

Jolies jambes... et justes proportions

▶ Les chaussures massives (type Doc Martens et autres semelles épaisses) conviennent mieux aux jambes fines.

▶ La bottine et la grosse chaussette font une jambe plus découpée, mais aussi plus ronde.

▶ Si vous êtes dodue, le bout légèrement arrondi est préférable au bout pointu. Question d'optique.

▶ Le talon haut, si vous êtes petite, donnera l'impression que vous êtes plus petite encore. Choisissez les talons moyens.

▶ Plus les brides de la sandale sont fines... plus les jambes devraient être fines.

BIEN CHAUSSÉE AU ROYAUME DU BONHOMME HIVER

Notre climat exige de bonnes bottes, on le sait. Les pieds au chaud, les rigueurs de l'hiver sont drôlement plus faciles à supporter! Ça semble évident pour tout le monde, mais cela ne nous empêche pas de voir chaque hiver des ados se les geler en chaussures de sport et des femmes en escarpins patauger dans la gadoue.

Le secret pour ne pas avoir froid, c'est de rester au sec et d'avoir de l'espace. Un pied comprimé gèle plus vite: ma dame à talons hauts de tout à l'heure n'en pourra plus après dix minutes à attendre l'autobus. On doit aussi savoir que l'on perd notre chaleur 32 fois plus vite par les extrémités du corps (la tête, les mains, les pieds). Alors... quoi faire?

▶ Hiver en ville

Celles qui roulent surtout en voiture peuvent choisir le cuir, mais à leurs risques. Si vous vous déplacez en autobus et en métro, choisissez des bottes imperméables.

Achetez les bottes un point et demi plus grand et une largeur de plus que vos chaussures. Comme le similicuir n'est jamais très chaud, portez vos bottes avec des chaussettes de polypropylène ou de molleton de polyester (c'est ce qu'on appelle parfois de la «laine polaire»), qui elles, vous garderont les pieds au chaud.

▶ Hiver à la campagne

Les bottes de cuir pourront convenir si les rues sont moins copieusement assaisonnées que dans les grandes villes. Puisque vous payez si cher, n'oubliez pas de traiter et de nettoyer vos bottes une fois la semaine.

▶ **Pour les coups de froid**
Rien de mieux qu'une botte de motoneige. Vous riez? Les amateurs de motoneige se tapent régulièrement des froids de -40 °C pendant des heures sans frissonner. Une visite chez un concessionnaire de motoneiges vous convaincra. Vous y verrez des bottes tout ce qu'il y a de convenable. Et à prix honnêtes, en plus.

LES BONS DÉBARRAS

Comme bien des gens, je me suis toujours demandé pourquoi tant de femmes (et beaucoup, beaucoup d'hommes) rechignaient tant à se séparer de leurs vieilles godasses. Je n'ai jamais pu trouver la réponse. Mon cordonnier, philosophe, affirme que c'est pour lui aussi un grand mystère. Avec le temps, il a fini par se dire que c'est par amour, puisque l'amour est aveugle.

Si vos chaussures sont trop fatiguées, confiez-les au cordonnier et s'il ne peut rien faire pour leur redonner leur air d'aller, mettez-les à la poubelle. Ce petit conseil peut sembler bien inutile, mais quand on porte des chaussures tous les jours, on finit par ne plus les voir. Les autres, eux, les voient bien plus que nous.

11.

Les vêtements
de plein air

Pour donner
du caractère
à votre look
de coureuse des bois

L'aventure, l'aventure... Chaque vendredi, dès 17 heures sonnées, on n'a plus que ce mot à la bouche. Certains iront la chercher dans les bars, les discothèques et les cafés. D'autres en loueront une toute faite au club vidéo du coin. Et d'autres encore, de plus en plus nombreux, iront la quérir en personne, par monts et par vaux, question de réveiller le grand explorateur qui sommeille en chacun d'eux. Au rythme où croît notre passion pour les grands espaces, et j'exagère à peine, Bernard Voyer sera peut-être forcé, s'il retourne un jour au pôle Sud, d'emmener avec lui un groupe de collégiens en vacances.

Plus sérieusement, le plein air est à la mode, vraiment très à la mode. Sans doute une conséquence de la lame de fond écologiste qui a déferlé sur le monde au début des années 90. Nous, les Québécois, chanceux que nous sommes, avons autour de nous des grands espaces comme nulle part ailleurs. Des lieux où, parfois, on a l'impression — même si ce n'est pas le cas — que ni l'homme, ni la femme, n'ont jamais mis les pieds. Les manufacturiers de vêtements ont bien sûr rapidement flairé la bonne affaire et ils sont aujourd'hui nombreux à se bousculer au portillon pour avoir le privilège de nous suivre dans les bois. Et le plus beau dans tout ça, c'est que cette saine rivalité a relevé la qualité de ce qu'ils ont à offrir à un niveau jamais vu.

En effet, jamais n'a-t-on eu autant de choix et jamais non plus les vêtements pour «jouer dehors» n'ont été aussi beaux, aussi résistants, aussi bien conçus ni aussi chauds (quand il le faut). Ne manquerait plus, pour que le bonheur soit complet, qu'on offre autant de choix aux femmes qu'aux hommes. Si la tendance se maintient, comme le dit l'expression consacrée, ce beau rêve pourrait devenir réalité d'ici quelques années. Continuons de prier pour que les boutiques de plein air nous proposent autre chose qu'un *small* pour hommes quand on ne trouve pas sur leurs étagères de quoi nous satisfaire!

Si les Québécois, quand on parle plein air, ont l'un des plus beaux et des plus vastes terrains de jeux du monde, ils peuvent aussi compter sur des manufacturiers qui sont passés maîtres dans l'art de nous habiller pour y aller. Alizée, Chlorophylle, Kanuk, Louis Garneau, Orage... il y a tant d'excellentes marques qu'on ne pourrait toutes les nommer. Voyons comment vous pourrez trouver, à travers cette jungle de produits tous plus performants les uns que les autres, ce qui répondra le mieux à vos besoins.

LE SHORT

Porté de juin à septembre, ou de mai à octobre pour les moins frileuses, le short de la garde-robe plein air devrait se retrouver en deux versions, l'une légère et l'autre plus robuste.

▶ **Le premier sera en nylon de type *Tactel***

C'est un nylon fin comme de la soie, qui lui ressemble, qui sèche quasi instantanément. Pratique donc, quand on a chaud ou qu'on doit se mouiller — quand il pleut en camping ou pour le canotage en eau vive, par exemple. Ces shorts sont à peu près tous dotés d'un sous-vêtement incorporé. On lave, on rince et 20 minutes plus tard, tout est sec.

▶ **Le second, à poches multiples, sera en coton, en toile ou de type *chino***

C'est le short de randonnée, qui peut faire aussi un parfait compagnon de voyage. Ses poches sur les cuisses peuvent contenir argent et passeport, ou servir à ranger, en expédition ou en camping, tous ces petits riens qu'on passe notre temps à chercher (allumettes, épingles de sûreté, boussole et ainsi de suite).

LE BLOUSON OU LE PULL EN MOLLETON POLYESTER

Autre indispensable de la garde-robe de plein air, le «polar», ce pull en molleton inconnu il y a dix ans, est champion pour vous réchauffer la nuit à la belle étoile ou au sortir de la tente le matin. Comme pour tous les autres vêtements de votre garde-robe plein air, le prix payé sera fonction de l'usage que vous lui réserverez.

Conclusion: inutile d'investir dans le blouson ou le pull haut de gamme pour se bercer sur le balcon du chalet les soirs d'août!

Dénouons l'intrigue du «polar»

Pas une once de laine dans le «polar», qu'on appelle aussi «laine polaire» (un calque de l'anglais *polar wool*): en fait, c'est du polyester brossé. Et comme c'est du polyester, il en existe de toutes les qualités. On ne taille pas le pull à 12 $ acheté au grand magasin dans le même molleton que celui payé 100 $ dans une boutique de plein air. La compagnie américaine Malden Mills fabrique un molleton qui, selon plusieurs experts, serait parmi les meilleurs. C'est le *Polartec,* fait à 50 % de fibres recyclées. Le molleton de bonne qualité se retrouve en deux épaisseurs, 100 g et 200 g (c'est son poids au mètre carré). Le molleton est aussi chaud que la laine, mais beaucoup plus léger et comme il n'absorbe pas l'eau, il continue de vous garder au chaud avec la même efficacité si vous transpirez, ce qui n'est pas le cas de la laine qui, mouillée, perd 40 % de sa capacité à retenir la chaleur.

On trouve aussi depuis quelques années sur le marché du molleton bouclé, très joli et peu coûteux, connu sous le nom de *sherpa*. On l'a surnommé ainsi, sans doute, à cause de son aspect qui rappelle celui d'une peau de mouton.

Le molleton polyester ne coupe pas le vent. Seule une marque de molleton, fabriquée par la compagnie Gore, y parvient: c'est le *Windstopper.* Tous les vêtements qui en contiennent portent une étiquette en forme de panneau routier indiquant un arrêt.

Et le pantalon?

En nylon microfibré ou classique, ou encore, dans un autre synthétique léger qui sait respirer, il aura l'avantage de sécher vite et s'il fait froid, vous pourrez lui ajouter une ou deux couches de sous-vêtements. Indispensable pour les mordus, il peut très bien être remplacé par un *chino* ou un pantalon ample léger pour les sorties d'une journée par beau temps, ou par un *legging* qui sèche vite par temps plus humide.

▶ **Oubliez votre jean à la maison**
Le jean a beau être confortable, les mineurs et les chercheurs d'or du temps jadis ne l'ont porté pour leurs expéditions que parce qu'ils n'avaient pas autre chose. Aujourd'hui, il est bien plus à sa place dans les villes qu'à la montagne ou en forêt. Le denim a tout pour devenir un boulet inutile en camping ou en randonnée. Il est lourd, met des heures à sécher, n'est pas extensible et ne coupe pas le vent, ce qui est aux antipodes des avantages qu'offrent les matières techniques d'aujourd'hui.

Le parka

En nylon, avec son capuchon et son cordon coulissant à la taille, le parka est un coupe-vent qu'on appelle aussi anorak, en version non doublée du moins. Kanuk fut parmi les premiers à le remettre à la mode en le coupant

dans du nylon de couleur vive.
Aujourd'hui, on trouve des modèles qui ressemblent au classique de Kanuk dans tous les
magasins et on peut même en
acheter par catalogue. Si les
parkas se ressemblent tous,
vous comprendrez que cela
ne veut pas dire qu'ils sont
semblables. Plusieurs de ces
vêtements, en version haut
de gamme, comportent en
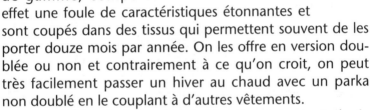
effet une foule de caractéristiques étonnantes et
sont coupés dans des tissus qui permettent souvent de les
porter douze mois par année. On les offre en version doublée ou non et contrairement à ce qu'on croit, on peut
très facilement passer un hiver au chaud avec un parka
non doublé en le couplant à d'autres vêtements.

▶ Les modèles de base sont habituellement ponctués de
poches plaquées à rabats, possèdent un cordon coulissant
à la taille et des fermetures velcro aux poignets. Ils sont
coupés dans du nylon de qualité honnête et sont doublés
en molleton ou dans un tissu du même genre.

▶ Du côté des parkas à prix moyens, quelques caractéristiques viennent s'ajouter à celles du modèle de base:
capuchon escamotable, poches intérieures, évent d'aération doublé de résille au dos et ainsi de suite. Le tissu est
de meilleure qualité et il est souvent doté d'un enduit de
polyuréthane qui lui permet d'être imperméable tout en
laissant la peau respirer (Hydroflex, Hipora...).

▶ En passant aux ligues majeures, on entre dans le parka
formule un, à prix beaucoup plus salé. Quelques-unes de
ses caractéristiques techniques: membrane *Gore-Tex* (voir

plus loin), évents d'aération à glissières aux aisselles, glissière centrale sous le boutonnage, coudes articulés et ainsi de suite.

Avec ou sans doublure?

Lorsque vous pratiquez une activité aérobique (ski de randonnée, marche rapide, course à pied ou autre), la chaleur de votre corps augmente. Vous transpirez, vous avez chaud et si votre manteau ou votre parka sont isolés avec une matière qui retient l'eau... vous êtes cuite! En effet, l'humidité est la pire ennemie des frileuses et c'est d'abord contre elle qu'il faut s'armer pour ne pas avoir froid.

Donc, au lieu de porter un parka isolé, mieux vaut enfiler plusieurs couches de vêtements qui laissent respirer le corps lorsque vous pratiquez une activité exigeante physiquement. L'humidité que vous générez est évacuée, vous gardant au sec, et vous êtes en même temps protégée contre le vent et les éléments. Autre avantage de l'habillement multicouche: si vous avez trop chaud pendant que vous faites du ski de randonnée, par exemple, vous pourrez enlever l'un des vêtements que vous portez et poursuivre votre activité sans avoir froid.

Par contre, si vous devez rester au chaud pour une promenade en ville, pour faire du ski alpin ou pour regarder passer le défilé du carnaval, vous aurez besoin d'un vêtement bien isolé. Vous pourrez choisir une isolation en duvet, bien sûr, mais aujourd'hui, il existe des synthétiques qui font le travail aussi bien, qui sont moins capricieux, plus légers et plus durables!

S'habiller comme un oignon

La meilleure façon de ne pas avoir froid pour les activités de plein air en hiver, c'est de s'habiller en superposant plusieurs couches de vêtements. Un col roulé bien chaud, un molleton et un parka non doublé de qualité valent souvent mieux qu'une grosse canadienne isolée avec du polyester bon marché.

▶ La première couche est un sous-vêtement qui n'absorbe pas l'eau mais garde la chaleur du corps. Des matières comme le polypropylène (qui compose les fameux sous-vêtements *Lifa*) ou le polyester remplissent admirablement cette fonction. Ils vous gardent au sec, sèchent vite et vous ne gelez pas.

▶ La seconde couche, dont l'épaisseur varie selon les caprices du mercure, c'est le molleton, notre fameuse laine polaire. Blouson ou pull et pantalon, pour nous garder au chaud même si elle est humide.

▶ La troisième couche, c'est le parka et le pantalon. Les deux coupent le vent — c'est d'ailleurs leur fonction principale — et devraient impérativement vous protéger contre les rigueurs du climat tout en laissant évacuer la transpiration.

Imperméables... ou résistants à l'eau?

Il y a une distinction importante à faire entre les deux.

▶ Un vêtement imperméable, c'est un vêtement qui ne laisse ni entrer ni sortir l'eau. Bref, c'est un vêtement qui ne «respire» pas. Il est en nylon à envers caoutchouté ou enduit de polyuréthane ou dans un autre tissu à enduit plastique. C'est un bon vêtement pour la vie urbaine, où les hivers sont plus «mouillés» qu'à la campagne.

▶ Un vêtement qui résiste à l'eau vous gardera au sec pendant un certain temps s'il pleut ou il neige, mais finira par se mouiller sous un déluge. Il résiste au vent, laisse sortir la transpiration et finit par absorber l'eau. Il est recommandé pour les activités aérobiques.

Le *Gore-Tex:* plus qu'un mot à la mode

Les grandes marques, leur logo et toute la terminologie technique qu'ils sous-tendent sont populaires comme jamais. Au cœur de ce tourbillon de termes «branchés», on trouve le *Gore-Tex,* qui n'est pas un tissu mais bien une membrane mince comme du cellophane qui, à sa manière, a déclenché une vraie petite révolution dans le monde du vêtement de sport.

Le *Gore-Tex* est exclusivement fabriqué par la compagnie américaine Gore & Associates. Il a une capacité de résister à l'eau, de respirer et de couper le vent supérieure à tout ce qui se fait sur le marché actuellement. Les vêtements qui comportent une membrane *Gore-Tex* en portent fièrement le logo parce que la compagnie Gore choisit littéralement avec qui elle fait affaire. Des échantillons de vêtements lui sont fournis et s'ils ne se conforment pas aux critères de qualité très pointus édictés par Gore, la compagnie refuse d'appliquer sa membrane sur les tissus.

Comme c'est elle qui le fait, et que cela coûte très cher, les vêtements à membrane *Gore-Tex* sont toujours très dispendieux. Mais ils durent!

Il existe sur le marché des membranes créées selon le même principe, moins coûteuses, moins performantes, certes, mais qui suffisent bien souvent à combler les besoins du commun des mortels.

Doux comme du duvet, mais encore...

Les mordus de plein air, comme ceux qui fabriquent leurs vêtements, sont divisés en deux camps: les «pro» et les «anti» duvet. Les premiers jurent qu'il n'y a rien de mieux que le duvet d'oie pour vous garder au chaud. Les seconds ne jurent que par les synthétiques, qui n'absorbent pas l'eau, ne se tassent pas avec le temps, ne moisissent pas, sont plus légers et plus durables. Il y a des avantages et des inconvénients pour chacun, mais des tests effectués pour la compagnie Bombardier ont révélé que plusieurs isolants synthétiques (Primaloft et Quallofil) résistent mieux à l'absorption de l'humidité que le duvet d'oie.

Parmi les isolants qui vous garderont bien au chaud pour moins cher qu'un duvet d'oie, citons le *Thermolite*, l'*Hollofil*, le *Thinsulate*, le *Microloft*, le *Thermoloft*... il en existe des dizaines et tous sont des marques déposées des grandes compagnies de textiles (DuPont, 3M, Albany international et ainsi de suite).

Duvet: à bas les Chinois!

Tous les spécialistes en duvet vous le diront: le duvet qui vient de Chine est un très mauvais achat. En effet, les volatiles dont il provient sont souvent élevés dans des conditions d'hygiène pitoyables et le duvet est produit dans les mêmes conditions. Conséquence: votre duvet à bon prix, après quelques mois, peut se mettre à dégager le même arôme qu'une basse-cour mal nettoyée. Gênant...

ET LES PIEDS?

Vous aurez beau avoir les vêtements les plus techniques du monde, les couleurs les plus pétaradantes et le look le plus branché, une ampoule au bout d'un orteil et ç'en est fini de votre journée. Pas question ici de passer en revue les dizaines de critères et de caractéristiques à exiger de vos chaussures ou de vos bottines de marche, de vos bottes ou de vos sandales: vous trouverez facilement de l'information là-dessus dans toutes les bonnes boutiques de plein air et dans les revues spécialisées. Définissons plutôt ce que l'on devrait se mettre aux pieds selon l'activité pratiquée.

Randonnée, automne, printemps, été

Les bottes de marche sont indispensables pour tout randonneur qui se respecte. Je ne parle pas ici des balades pour digérer après le dîner, mais bien des marches de plusieurs heures, avec montées et obstacles, sur les sentiers en forêt.

▶ Bon à savoir pour choisir:

Un bon soutien à la cheville aide à descendre et monter sans douleur. La semelle rigide est un gros avantage quand on marche sur des sols accidentés. Les modèles tout cuir sont plus durables, soutiennent mieux et sont plus résistants. La semelle en *Vibram* est un bon indice de qualité. Moins les bottines comportent de coutures, plus elles gardent les pieds au sec et plus elles durent.

▶ Avec ça:

Des chaussettes tout coton ou en pure laine. Évitez la laine trop grosse, qui fera des ampoules par friction.

Si vous ne faites que quelques promenades en forêt par année, offrez-vous des bottines bon marché (on en trouve même dans les magasins à grande surface) ou des chaussures pour la marche en ville, qui sont très à la mode. Elles coûteront moins cher qu'une bonne botte de randonnée et vous offriront le soutien voulu pour ne pas vous blesser ou vous fatiguer.

Bord de lac, canotage et compagnie

Vous aurez besoin de chaussures qui n'ont pas peur de se mouiller. Pourquoi pas ces sandales en caoutchouc à brides de nylon et semelles moulées? Version marques renommées, elles coûtent cher, mais on en trouve des semblables dans les magasins d'escomptes à prix moindres.

▶ **Bon à savoir pour choisir:**
Laissez votre pied être le seul juge. Inutile de payer le gros prix, à moins de porter vos sandales un été entier. Dans ce cas, la solidité et la résistance des bonnes marques est préférable au bas de gamme qui dure peu.

▶ **Avec ça:**
De grâce, épargnez-nous les chaussettes. Portez vos sandales telles quelles, pieds nus.

D'autres bonnes idées pour le plein air bien chaussé
▶ **Des chaussures multisports** (on les appelle en anglais *crosstraining*). Pour laver la voiture, faire le marché, mais aussi pour le camping, le tennis et pour toutes ces activités extérieures qu'on pratique à l'occasion.
▶ **Des *Gazelle* d'Adidas.** Ces chaussures en suède de couleur, aux trois barres blanches, sont aussi confortables que classiques.
▶ **Une chaussure appropriée au sport que vous pratiquez.** En persistant à *jogger* autour du bloc en tennis, vous courez tout droit... vers une blessure sérieuse.
▶ **Les bonnes chaussettes.** En fibres naturelles (coton) l'été, et l'hiver, les mêmes en polypropylène, en polyester ou mieux, de nouvelles chaussettes à enduit *Gore-Tex* (dernier cri et gros prix).

LES ACCESSOIRES

▶ Au froid, votre tête laisse échapper jusqu'à 60 % de la chaleur de votre corps. Sortir vêtue d'un bon manteau mais sans bonnet par un froid de canard, c'est comme ouvrir toute grande la porte en chauffant la maison à plein régime. Le bonnet, la toque, le chapeau, la casquette, peu

importe vos préférences, l'essentiel c'est de bien vous couvrir.

Il existe sur le marché quantité de bonnets fous, fous,
fous en molleton polyester. On en fait aussi des casquettes
norvégiennes, des chapskas et plein d'autres jolies choses
qui toutes, ne coûtent vraiment pas cher.

▶ Après la tête, les mains et les pieds sont les deux autres
régions du corps qui évacuent votre chaleur corporelle le
plus vite. Donc, de bons gants ou des moufles, quand on
sort sous la neige, c'est aussi nécessaire que de porter des
bottes.

Quand acheter?

Un bon parka de plein air peut facilement vous coûter
dans les 350 $. Pourquoi est-ce si cher? Il n'y a qu'à
scruter la confection d'un modèle d'une bonne marque
pour comprendre. Il y a dans ces vêtements des années de
recherche, des dizaines de détails et d'opérations qui
rendraient folle n'importe quelle couturière amateur. Mais
ce n'est pas une raison pour ne pas rechercher les
aubaines. Et les meilleures se font immédiatement après
Noël, jusqu'à la mi-janvier. Après les vacances des fêtes, les
prix chutent même jusqu'à 50 % du prix courant.

D'autres bonnes idées pour le plein air

▶ Un pull tricoté main enfilé sur un blouson en molleton ou un kangourou en coton ouaté.

▶ Un manteau de motoneige pour les grands froids d'hiver: fantastiques contre le froid mordant, ils sont souvent moins chers et de meilleure qualité que bien des manteaux classiques.

▶ Un *legging* en nylon et lycra bien doublé. Il vous gardera au chaud jusqu'à bien bas sous zéro.

▶ De grosses moufles dans lesquelles on peut en enfiler d'autres plus légères.

▶ Un sac à dos mignon, en cuir ou en fourrure. Recherchez les modèles en fourrure recyclée de Mariouche Gagné.

▶ Du velours côtelé, du coton brossé, un pull en tricot torsadé écru, un blouson façon bûcheron, à gros carreaux... autant de jolies choses qu'on peut ajouter aux vêtements de plein air classiques pour leur donner un style un peu plus personnalisé.

12.

Le jean

Ou
aventure épique
au pays
du grand bleu

J amais un vêtement n'aura déclenché autant de passions, fait couler autant d'encre ni fait rouler autant d'industries. C'est Levi Strauss qui doit rire dans sa barbe! Autrefois symbole des rebelles et des anti-conformistes de ce bas monde, le jean est aujourd'hui, paradoxalement, un langage universel parlé aux quatre coins du monde. On vend des jeans dans les boutiques chic de Via Veneto, sur les quais du métro de Moscou, dans les jonques des marchés flottants de Bangkok, les souks de Marrakech et sous le manteau en Iran... on en trouve même dans les innommables marchés aux puces qui foisonnent partout au Québec. Gap fabrique des jeans à boutons-pression à l'entrejambe pour vous faciliter le travail quand vous changez la couche de bébé, Parasuco l'érotise en le moulant sur des starlettes pulpeuses de 15 ans à peine, Liz Claiborne le coupe pour les tailles fortes et les femmes dites «mûres» et GWG l'additionne de fibres extensibles pour séduire les baby-boomers qui veulent se sentir sexy à l'aube de la cinquantaine. Pas une griffe, pas un créateur de mode qui ne se soit pas intéressé au jean. Tous ont voulu obtenir leur part du gâteau monumental généré par la manne bleue. Certains y sont parvenus remarquablement (c'est le cas de Calvin Klein) et d'autres, nombreux, s'y sont royalement cassé les dents (ceux-là étant, justement, trop nombreux pour être nommés).

Si bien des jeunes sont descendus dans la rue, il y a 25 ans, pour obtenir le «droit» de le porter sur les bancs d'école, force est de reconnaître que le jean a perdu aujourd'hui toute connotation délinquante et qu'il ne constitue plus cette joyeuse marque de rébellion qu'il a été pendant tant d'années. Pour s'en convaincre, on n'a qu'à regarder comment s'habillent les ados d'aujourd'hui. Qui porte le 501 dans la famille? Papa et maman, le plus souvent. Le jean des jeunes est devenu un gigantesque pantalon de toile où ils pourraient facilement entrer à deux ou trois à la fois. Immense, balayant les planchers, il rejoint à sa manière le pantalon de Levi, d'abord conçu pour les chercheurs d'or et les mineurs (et qui doit son nom, soulignons-le, à la ville de Gênes, d'où provenait le coton qui servait à sa fabrication).

LE JEAN CLASSIQUE

Son image de rebelle a beau s'être émoussée, il garde sa place dans le peloton de tête des bases de notre garde-robe (et celles-là, on peut les compter sur les doigts de la main). Ajoutez le fait qu'il est indémodable et que sa coupe n'a à peu près pas changé au cours des 10 dernières années, et vous obtenez autant d'arguments en faveur du fait qu'il ne vaut pas la peine de payer le gros prix pour du griffé et autres supercheries. Entre un jean Gap (60 $) et un Diesel (150 $), la différence est aussi mince qu'une page de pub dans un magazine...

Voyons ce qui assurera que votre achat défiera toutes les modes, en décortiquant le classique cinq poches (le plus connu et le mieux fait étant, hors de tout doute, le Levi's).

▶ Il est prélavé, souple et doux, mais pas délavé au point où il semble prêt à se déchirer au prochain lavage (ne riez pas, ça s'est déjà vu).

▶ Le denim est d'un poids de 16 onces, ce qui est la norme, ou de 14 onces, si vous aimez votre jean plus léger. Il s'agit du poids du tissu à la verge carrée, le 16 onces étant le plus rigide et le plus robuste de toutes les catégories courantes.

▶ Le jean comporte cinq poches, deux plaquées au dos et sobrement piquées en fil jaune, deux doublées de coton devant, plus une poche de montre, carrée et minuscule, sur la droite (j'entends déjà les gauchers crier à la discrimination).

▶ Il comporte la plupart du temps des coutures rabattues et surpiquées de jaune à l'entrejambe et des coutures régulières, à rentrés surjetés, sur les côtés.

▶ Il est fermé par un bouton de métal régulier — surtout pas par un bouton-pression, qui se brisera à la première occasion! Le zip, solide, est en laiton.

C'est tout. Pas de paillettes, pas de fioritures, pas de broderies ni d'effets spéciaux, pas de pièces de couleurs ni de pattes d'éléphant. Un jean cinq poches, tout simplement.

Il reste maintenant à choisir l'apprêt du denim. Lavé à la pierre, blanchi, sablé, surteint, délavé, javellisé, préusé... Aucune autre matière n'est traitée avec autant de variantes et d'égards que notre cher denim. Certaines compagnies ont même fait breveter leurs formules de produits et d'additifs pour s'assurer que leur manière de l'assouplir demeure unique au monde! Voici les principaux apprêts et leurs caractéristiques qui elles, n'ont rien de secret.

▶ **Le denim prélavé**

C'est le bleu classique, qui a simplement subi un lavage en machine à laver industrielle. Le but de l'exercice: assouplir le denim qui, autrement, serait raide comme du carton. C'est l'apprêt classique, l'indémodable.

▶ **Le denim surteint**

Sur une base en denim bleu, on ajoute de la teinture de couleur. Cela nous donne du denim bleu-noir, vert foncé, grenat et ainsi de suite. À ne pas confondre avec le denim de couleur qui lui, est réalisé à partir de fils teints d'une couleur autre que l'indigo avant tissage.

▶ **Le lavé à la pierre**

On passe les jeans dans de grandes laveuses remplies de javellisants et de pierres volcaniques, qui usent le denim par abrasion. Cela donne un jean délavé à point, souple et confortable, qui a l'aspect du déjà-porté. C'est l'apprêt le plus courant.

▶ **Le denim préusé**

Une espèce en voie de disparition. Le jean est usé selon diverses méthodes, qui vont du lavage à l'eau additionnée d'agents chimiques jusqu'au sablage par jet. Un effort louable parce que le jean est d'une souplesse incomparable, mais le résultat est frustrant parce que la durée de vie du jean est beaucoup plus courte.

▶ **Le denim délavé**

Lui aussi est en perte de vitesse, mais quand même bien présent du côté des vêtements autres que le jean. On lave les vêtements assemblés en machine avec de l'eau additionnée de puissants javellisants, qui n'ont rien à voir avec l'eau de Javel qu'on ajoutait jadis dans la laveuse pour faire pâlir nos jeans plus vite. Résultat: un jean bleu clair qui mériterait un meilleur sort que celui d'une place sur la tablette du fond de quelque obscure boutique unisexe, comme c'est le cas actuellement.

La bonne coupe pour la bonne silhouette

Jambe droite, coupe ample, coupe western, coupe relaxe, jambe fuselée... Rien que dans une marque de jeans, on compte en moyenne une bonne demi-douzaine de modèles. Lequel vous ira comme un gant et quel autre irait mieux à votre jeune sœur ou à votre fille de 17 ans? Voici quelques points de repère.

▶ **Les jeans coupe étroite ou élancée** sont conçus pour les adolescentes dont le corps est en croissance. Hanches étroites, fesses plates, jambes très fines. Si vous êtes ainsi faite, il vous ira comme un gant. C'est aussi le jean par excellence pour les petites, puisqu'il est étroit et taillé petit.

Un conseil: Évitez le jean étroit trop serré. Les arguments contre? Ils abondent: mauvais pour la circulation, il peut provoquer des vaginites et en plus, il est aussi vulgaire que démodé. À moins d'être extensible. Voir plus loin.

▶ **Le jean coupe décontractée** (on l'appelle aussi coupe confort) est taillé pour les adultes. Droit et simple, il convient à tout le monde.

Un conseil: évitez la braguette boutonnée si vous avez un petit ventre et le jean sans poches derrière si vous avez les fesses bien en chair. Préférez les coupes pour femmes, à taille plus haute.

▶ **Le jean *baggy*** est large aux cuisses et étroit à la cheville. Grand ami des cuisses fortes et des derrières dodus, c'est lui aussi un indémodable à privilégier quelle que soit votre silhouette.

Un conseil: à moins d'être vraiment, mais vraiment petite, tout le monde peut être belle et bien dans un jean coupe *baggy.* Il suffit de le porter avec un haut ajusté et non pas de le noyer sous un pull ou une tunique immenses.

▶ **Le jean surdimensionné** est l'apanage des préadolescents et des jeunes qui en pincent pour les vêtements 10 fois trop grands tellement en vogue actuellement. Le tissu coûte cher et, si vous avez des ados, vous savez probablement que ces jeans-là coûtent eux aussi les yeux de la tête.

Un conseil: si vous avez plus de 20 ans, faites comme tante Hortense: laissez ça aux plus jeunes!

▶ **Le jean extensible** est coupé dans du denim auquel on a ajouté des fibres synthétiques (habituellement du *spandex)* qui le rendent extensible. Peu répandu, il a ses inconditionnelles autant que ses détracteurs. Il a l'avantage de vous laisser respirer malgré sa coupe ultra-ajustée.

Un conseil: Le denim extensible a beau donner un certain maintien, ce n'est quand même pas une gaine. En croyant avoir l'air plus mince, les plus dodues feront tout le contraire. Un jean à réserver, donc, aux délicates et aux filiformes.

Le jean parfait existe

La compagnie Levi's (encore elle) a créé il y a maintenant presque deux ans un logiciel qui permet de faire couper et assembler des jeans aux mesures de ses clientes. Le tout prend entre une et trois semaines. Après avoir pris vos mesures, on vous fait essayer l'un des 300 et quelques prototypes en magasin, on inscrit les corrections par ordinateur et on envoie le tout illico, par modem, à l'usine Levi's. On fabrique ainsi des jeans avec longueurs d'entre-jambe variant de 24 à 35 pouces, idem pour le tour de taille. Ce serait peut-être une bonne idée de monter jusqu'à 40 pouces pour les filles plus enveloppées mais bon, rien n'est parfait... Votre jean sur mesure vous coûtera dans les 85 $.

Magasinez votre jean

Comment vous assurer que le jean que vous enfilez dans la cabine d'essayage vous convient bel et bien? Ça se fera en quatre points:

1 Placez les deux pouces entre la peau du ventre et le jean. Si ça passe bien, c'est la bonne taille.

2 Derrière, le jean moule sans comprimer. Devant, de la taille au genou, il est bien lisse et ne plisse pas. S'il vous scie l'aine, il ne passe probablement pas le test des deux pouces décrit plus haut.

3 Accroupissez-vous, faites des flexions, levez et écartez les jambes. Si le jean ne serre pas et demeure confortable, vous êtes sur la bonne voie.

4 L'ourlet tombe-t-il à la bonne place? Sinon, demandez une autre longueur d'entrejambe. Enfin, regardez-vous sous toutes les coutures. Aimez-vous le look du jean? Sa coupe, son allure? Oui? Alors achetez.

Une question de taille

Comme tout le monde, vous vous demandez sans doute ce qui fait que le jean de taille 29 d'une marque soit de la même grandeur que le 32 d'une autre marque. La réponse? Chaque manufacturier a sa propre méthode de calibrage des patrons. Cette façon de faire n'a bien souvent rien à voir avec vos mensurations ni avec le système de tailles Canada Standard, mis sur pied par le gouvernement canadien dans les années 80, mais dont une large part des manufacturiers ne tiennent pas compte.

Dans le secteur des jeans, les variations de calibrage sont à ce point importantes que deux jeans de même taille sur l'étiquette peuvent avoir plusieurs centimètres de différence tant en longueur qu'en tour de taille. Alors, si vous changez de coupe de jean et devez porter trois tailles de plus que votre jean précédent, inutile de vous mettre au régime!

LE JEAN FORMULE SPORT

Vous le portez comment et avec quoi? Voici quelques idées qui vous donneront un coup de pouce si vous manquez d'inspiration.

▶ Pour la randonnée dans les forêts colorées en octobre: avec un col roulé moulant, et par-dessus, un grand pull tricoté et un gilet (c'est une veste sans manches et non un pull) fourré de duvet.

▶ Pour un week-end au chalet des amis, avec un tricot de coton noir et un blazer en laine et cachemire de couleur. Ou encore, avec un blouson en molleton. De bonnes idées de touches finales: un béret coordonné à votre veste et, bien sûr, de beaux gants de cuir pour vos blanches mains.

▶ Les hommes la portent depuis quelques saisons, faites-en autant: la surchemise, qui s'enfile par-dessus à peu près n'importe quoi, fera merveille avec votre jean et un T-shirt court. N'oubliez pas une jolie ceinture en cuir naturel.

▶ Avec un blouson de cuir et un col roulé de couleur, jouez les rockeuses d'un jour. N'oubliez pas le bottillon fin et féminin, le joli ceinturon... et les boucles d'oreilles en argent patiné.

▶ Retombez en adolescence avec un jean et un chemisier blanc et enfilez par-dessus un gilet de cuir noir. Effet rajeunissant garanti.

QUAND LE JEAN S'ENDIMANCHE

Quand on parle de jean chic, on ne fait plus allusion à l'éternelle association jean bleu, veston marine, chemisier blanc et bijoux dorés. C'est encore beau, c'est sûr, mais on l'a vu et revu à tel point qu'il est devenu une sorte de stéréotype. Allez, sortez des sentiers battus!

▶ **Avec un jean de couleur.** Les richissimes s'offriront un magnifique jean limette ou orangé en satin ou en *stretch* et le commun des mortels courra à la boutique de mode «jeune fille» pour choisir un jean classique qui se distinguera par sa couleur pimpante.

▶ **Avec un jean couplé à un chemisier imprimé et une belle veste,** des bijoux qui font classe et de belles sandales. Si votre jean est en couleur, vous ferez sensation de mars à la fin septembre; en bleu classique, marron ou noir, il sera superbe les mois d'hiver.

▶ **Pour la saison froide, dénichez un jean marron** ou si votre budget le permet, offrez-vous un jean en suède (ou coupé dans ce merveilleux suède lavable qui coûte presque aussi cher que le vrai). Belle chemise de soie ou col roulé, ceinture grand chic et voilà.

▶ **Le jean bleu ou noir classique** aime les vestes moulantes portées à même la peau, les duos veste et gilet, les *twin-sets* et les chemisiers habillés d'un petit foulard griffé.

▶ **Le jean pour le soir?** Pourquoi pas! Choisissez-le en satin noir. Il ne manquera plus qu'un petit pull sexy en *lurex* ou la mousseline d'un grand chemisier sur un petit corsage à bretelles fines. Choisissez avec soin la ceinture, à appliques métalliques bien sûr, et quelques bijoux discrets mais d'allure cossue.

LE JEAN AUTREMENT

Le jean bleu classique a beau être un essentiel, il n'est quand même pas indispensable. Celles qui aiment son confort et son beau bleu peuvent se rabattre sur plusieurs autres vêtements. Des exemples?

▶ La robe-chasuble

(Ou le *jumper*, pour celles qui comprennent mieux l'anglais). Popularité en hausse en dehors du trousseau de la femme enceinte où il était cantonné ces dernières années. Sur un T-shirt en été, sur un col roulé en hiver ou sur un chemisier tout simplement. C'est le vêtement parfait pour le bureau décontracté, pour travailler en garderie, pour faire ses courses au marché ou pour maman qui doit toujours avoir des tas de trucs dans ses poches quand elle sort avec les petits. On en trouve même des modèles sexy, court et à boutons-pression. Avec bottillons, collant et T-shirt noirs, vous allumerez, c'est certain.

▶ La robe

Elle est longue, à manches courtes ou sans manches, en denim 14 onces ou moins, donc légère et confortable à souhait. Un petit foulard imprimé, chaussures marron et collant opaque et voilà un look week-end qui a juste ce qu'il faut de chic pour recevoir votre belle-mère.

▶ La jupe

Printemps, hiver, automne, été, quel dépanneur hors pair elle fait! On oublie évidemment la mini serrée des années 80, et on jette son dévolu sur du denim fluide et léger, une longue jupe comme une coulée bleue ou sa version plus courte, portefeuille, qui fait très «belle fermière». Des accessoires de paille, du vichy ou du fleuri, il ne manque plus que le soleil et un samedi. En hiver, elle préférera un gros pull, un gilet de velours et un chemisier, un *twin-set* angora ou un tricot de coton.

▶ Le chemisier

Véritable locomotive du *friday wear* chez les hommes, elle a maintenant ses entrées dans bien des salles de réunion n'importe quel jour de la semaine si on la cravate bien. Dans notre camp à nous, on commence à peine à trouver des modèles coupés pour femmes. Excellent achat: elle joue les vestes sur un T-shirt et avec des shorts, elle rentre dans un *chino* (voir plus loin) comme un charme, elle se déboutonne pour laisser voir une camisole de couleur ou s'habille d'un petit foulard noué au cou façon cow-boy. Choisissez-la bien courte pour éviter les amas de tissu qui viennent se rouler sur vos hanches dans le pantalon.

▶ Le short

Laissez le vieux jean coupé à Robinson Crusoé et aux soixante-huitards attardés. Un short en jean blanc bien coupé, des souliers de bateau, un polo et vous êtes à des milles (marins) de ce short-maison on ne peut plus négligé. Les plus belles jambes oseront le très court, les autres arrêteront leur ourlet à mi-cuisse.

▶ Le *chino*

Tellement nouveau dans notre garde-robe qu'on n'a qu'un mot anglais pour le décrire. En fait, le *chino* est une matière. C'est du sergé de coton, qu'on appelle en anglais *chino.* Un *chino,* c'est donc un pantalon de sergé de coton, le plus souvent camel, mastic ou écru, à poches raglan devant et boutonnées derrière comme un pantalon d'homme. Eux le portent d'ailleurs depuis des années (et plusieurs Anglo-Saxonnes font de même, avouons-le). Il a suffi que Lagerfeld en enfile sur Claudia Schiffer il y a quelques saisons pour qu'on ait toutes subitement envie d'en avoir. Inutile de payer le gros prix pour les deux C: les *chinos* de marque maison de plusieurs grands magasins présentent un rapport qualité-prix au-dessus de tout soupçon.

Le jean impardonnable

1 Le denim des pieds à la tête, de la chemise au blouson et jusqu'au pantalon. Le jean et la chemise, ça peut aller, mais pas plus!

2 Le jean version cow-boy, avec santiags et chemise frangée ou brodée de perles. Avec du cuir blanc, on vous prendra à tort pour une chanteuse country. Laissez ça aux pros du showbiz.

3 Le trop chic avec le jean. On l'a bien enfilé avec des paillettes, des carrés Hermès et des boucles d'oreilles au deux C il y a 10 ans, mais c'était, justement, il y a 10 ans.

4 Le jean *Tom boy*, avec le blouson, le gros ceinturon et l'attirail de garçon. La mode unisexe est morte depuis 20 ans au moins et on a aujourd'hui mille façons de porter son jean en version féminine.

5 Dans la même veine, le mix «poupoune»: jean serré, blouson serré, petit pull serré. Il ne manque plus que les talons hauts et on klaxonnera sur votre passage.

6 Le jean avec la sandale haute à brides. En blanc avec un jean, on risque de vous prendre pour ce que vous n'êtes pas. Même chose pour le mélange jean et escarpins. Vous avez beau vous justifier en vous disant que le talon est bas — car plus il est haut, pire c'est —, mais rien à faire, ça ne passe pas.

7 Le jean et le pull de coton ouaté. Sauf pour déménager et pour faire le grand ménage. Vous gagneriez à être plus originale. Achetez des magazines de mode pour dénicher de bonnes idées.

8 Le jean et les chaussures de sport complètement éculées. Laissez-ça aux hommes, qui sont nombreux à refuser obstinément de se séparer de leurs vieilles godasses. La vie a de ces mystères, parfois!

9 Le jean format géant passé l'âge de 18 ans. Contrairement à ce que plusieurs croient, un jean trop grand n'amincit pas. Il fait tout le contraire, justement.

10 Le jean *destroy* déchiré aux genoux et tout. Un conseil: continuez de le déchirer... et mettez-moi ça au recyclage illico.

Jean et chaussures

Que de curieuses associations voit-on parfois quand on commence à s'attarder à ce que chacun met à ses pieds avec un jean! Certaines donnent envie d'applaudir, d'autres de hurler. Que devrait-on enfiler à ses pieds après s'être glissé dans son jean?

▶ **Pour un look sportif:** flâneurs en *nubuck* ou en cuir naturel, baskets en cuir ou tennis de toile, sandales de sport ou sandales plates, mules à talon bas, richelieus ou derbys.

▶ **Pour une allure plus habillée:** flâneurs en cuir lisse à talon moyen ou plus haut, chaussures grand-mère lacées, chaussures à bride style année 20, bottines ou bottillons à talons, chaussures chic ou bottes en suède.

Votre jean vous coûte trop cher? Deux façons d'économiser:

▶ **Achetez des imparfaits**

On les trouve dans les marchés aux puces, les grands magasins (on les annonce dans les circulaires), dans les chaînes de magasins à escomptes (je pense entre autres à Winners) et même dans certains magasins de surplus d'armée. Leurs imperfections sont souvent tellement mineures qu'il ne vaut même pas la peine de s'y attarder: variation de teintes dans le tissu, poches pas tout à fait symétriques, défauts dans le tissage. Et ces petits riens peuvent vous faire économiser une bonne dizaine de dollars.

▶ **Surveillez les soldes d'août**

À l'approche de la rentrée scolaire, tous les grands magasins et les chaînes de boutiques soldent leurs vêtements en denim.

▶ **Choisissez vos jeans dans les friperies**

Ils sont usagés, mais c'est justement ce qui fait leur charme: ils sont déjà délavés, déjà usés, déjà «cassés». La friperie à la mode les vend plus cher (autour de 30 $), le petit magasin loin des rues achalandées peut vendre à moins (j'en a déjà vu à 12 $). Un rappel amical: n'oubliez pas de laver votre nouvelle acquisition avant de la porter. On ne sait jamais...

13.

Maîtrisez *l'art* d'apprêter *les restes*

Ç a n'a rien à voir avec la récession. C'est un courant de fond plus qu'une véritable vague. Toujours là, assise entre deux chaises, entre la mode passagère et le classique, enveloppée bien au chaud dans un gros manteau de préjugés, les friperies n'ont jamais cessé de bien se porter. Si tous les magazines et même des émissions de télé «sérieuses» en ont fait mention, le «phénomène» des friperies n'en est pas réellement un. Car depuis aussi longtemps qu'existent les friperies, les gens les ont fréquentées. La doyenne de toutes, Drags, rue Saint-Paul, attire autant les mordus de belles choses de nos jours qu'il y a vingt ans, en pleine vague disco. La différence, c'est que la friperie s'est ennoblie. On n'y retrouve plus nécessairement ce mélange anarchique de guenilles et de

253

trésors. Et elle n'est plus exclusivement fréquentée par des étudiants désargentés. Au contraire: aux États-Unis, au Canada anglais et même ici, chez nous, il est de bon ton désormais d'aller promener son paletot de cuir élimé dans les salons branchés. Bref, s'habiller fripes, c'est chic.

Plus noble donc, et presque implantée officiellement dans le monde du commerce au détail, la friperie, comme tous les autres commerces, s'est elle aussi diversifiée au fil des ans. Ce qui fait qu'on en trouve aujourd'hui quatre types. Certaines ont des airs de tombolas de sous-sol d'église, d'autres, plus folles, sont peinturlurées comme des wagons du métro de New York. Il y a aussi les boutiques de consignation, qui offrent du chic dans une ambiance de salle d'attente d'hôpital et enfin, les grandes surfaces, qui se prennent, sans honte aucune, pour des magasins à rayons.

LA FRIPERIE CLASSIQUE

Elle offre des vêtements usagés qui datent de quelques années et qui n'ont pas été modifiés. Les vêtements y sont souvent présentés pêle-mêle, ne sont pas retouchés ni modifiés.

Ce qu'on peut y trouver? Des jeans usés à point, des accessoires intéressants — foulards, colliers, bérets —, des jeans à bon prix, des vêtements rétro mais aussi de vieux vêtements qu'on paie presque rien et dont on peut récupérer ou modifier certains éléments. On change les boutons, on achète à petit prix un chemisier ou une veste dont on aime la dentelle, le galon ou la matière.

La friperie classique est l'endroit parfait où trouver de quoi exercer votre créativité de couturière. Si vous êtes un peu habile, vous pouvez vous amuser à donner un cachet personnel et plus actuel à des vêtements en apparence démodés. Enlevez les manches à une petite robe, habillez une veste avec le col de faux léopard d'un vieux manteau... et si le résultat ne vous enchante pas, vous n'aurez pas de regrets à vous débarrasser d'un manteau payé 5 $!

LA FRIPERIE NOUVELLE VAGUE

Plus folle et plus mode, elle offre des vêtements triés sur le volet, légèrement ou complètement modifiés. Charles Boivin et sa bande, à la friperie Hatfield & McCoy de Montréal, excellent à cet exercice et surprennent les amateurs de friperies depuis nombre d'années avec des créations à la fine pointe des tendances, créées à partir de vieux vêtements redécoupés et requinqués. À Québec, La Chienne à Jacques donne dans le même concept, avec des vêtements retravaillés par de jeunes designers et placés en consignation dans la boutique.

Les *best-sellers* des friperies mode vont du manteau à la robe, en passant par les pattes d'éléphant. Ce qui rend tous ces vêtements tellement intéressants, c'est le fait qu'ils sont souvent fabriqués à partir de tissus qu'on détourne de leur vocation d'origine — une vieille nappe en dentelle peut se transformer en un superbe pantalon du soir —, et de tissus qui présentent un intérêt, disons, historique. Par exemple, on peut trouver dans ces magasins quantité de tricots dignes de l'âge d'or des Missoni. Jacquards dont même votre grand-père ne veut plus, polo en *stretch* synthétique marron et bleu poudre, cardigan à carreaux Argyle deux fois trop petits, et ainsi de suite.

Secret... de fripier

Mais où donc les vendeurs de vêtements usagés dénichent-ils ces belles fringues rétro presque neuves, ces manteaux de cuir qu'ils nous revendent (parfois) à prix d'or, ces vieux uniformes militaires et toutes ces choses qui, entre leurs mains, passent du statut de «vieux linge» et celui de vêtement qui a vécu? Aucun d'eux ne veut bien sûr livrer ses adresses, mais je les soupçonne de râtisser les grandes surfaces comme Village des valeurs, d'avoir infiltré des endroits comme Les Recycleurs (l'immense centre de tri montréalais où l'on prépare les vêtements avant de les déchiqueter pour en faire des tissus recyclés) et d'être des habitués aguerris des ventes de garage et de sous-sol d'église. Ils savent sans doute aussi repérer les greniers bien garnis, courent les encans de succession et savent charmer les vieilles dames qui veulent bien les laisser faire le grand-ménage du sous-sol de leur maison. Impossible d'obtenir confirmation auprès des intéressés.

La boutique de consignation

Si elle permet, elle aussi, de réaliser des économies époustouflantes, elle est quand même à des lieues de l'esprit exubérant qui anime les friperies plus mode. À proprement parler, c'est bel et bien une friperie, mais on ne vend rien là qui soit d'époque ou qui date de plus de deux ou trois ans. C'est plutôt un magasin où l'on met en vente des vêtements déjà portés au nom de ceux et celles qui en sont propriétaires. Les prix sont fixés en proportion de leur prix de vente au détail à l'origine (c'est habituellement le tiers ou la moitié), une somme que la boutique et l'an-cienne propriétaire de vos trouvailles se partagent moitié-moitié.

Dans une boutique de consignation, vous trouverez surtout des vêtements presque neufs. Ces boutiques se font un point d'honneur d'offrir des vêtements en bon état et les plus récents possible. Ce sont majoritairement des produits haut de gamme, puisque les gens riches se fatiguent toujours de leurs vêtements bien avant qu'ils ne s'usent. Le plus beau, c'est que vous pourrez vous offrir ces jolies choses, encore à la mode et souvent très portables, pour une bouchée de pain (en comparaison du prix qu'ils vous coûteraient neufs, s'entend). Par exemple, j'ai déjà aperçu dans l'un de ces magasins un tailleur de velours noir Thierry Mugler, impeccable, offert à 400 $. Le semblable à l'état neuf se vend facilement dans les 1 200 $.

Bien sûr, les boutiques de consignation offrent aussi de la marchandise à prix plus raisonnable. Elles sont une bonne façon de tâter du seconde main quand les friperies remplies d'ados ne sont pas votre tasse de thé.

Enfin, tout au bout de la chaîne, il y a les grandes surfaces qui vendent de l'usagé. Je parle ici d'un réseau de magasins en particulier, parce qu'il est le seul à offrir des vêtements de ce genre. C'est *Village des valeurs*. Il recueille ce qu'il vend auprès du public et des manufacturiers. Invendus, successions, balances de faillites, tout cela est minutieusement trié puis revendu à petit prix. Certains s'élèvent contre de telles pratiques, mais quand on pense qu'elles permettent de dénicher des vêtements en excellent état (*Village des valeurs* ne vend que du neuf ou du très légèrement usagé) à des prix incroyablement bas, on devrait plutôt se réjouir.

Village des valeurs n'est pas l'endroit où trouver des vêtements dernier cri. Rendez-vous-y plutôt pour des classiques (j'y ai déjà vu des impers Aquascutum à 20 $, de beaux polos Ralph Lauren à 8 $ et même un parka Kanuk à 29,99 $). Il est aussi un dépanneur hors pair pour les petits budgets, qui pourront y trouver des collants, des chaussettes, des culottes et d'autres indispensables pour quelques petits dollars et parfois à moins d'un dollar.

La friperie, mode d'emploi

Que font celles qui vous reviennent toujours fringuées comme des princesses après avoir fait le tour des friperies, alors que d'autres peuvent y traîner des heures sans rien voir d'autre qu'un ramassis de vieux chemisiers jaunis? C'est une question de flair, de patience, de ténacité et d'endurance. Des qualités de championnes que toutes peuvent arriver à développer. Comment faire? Voici, en résumé, les conseils recueillis auprès d'habituées de l'avenue du Mont-Royal.

1 **L'assiduité est indispensable.** On est aux antipodes du vieux slogan à l'effet «qu'une visite vous convaincra». Adopter une friperie, c'est la visiter au moins deux fois par mois. Quand vous la connaissez par cœur et que plus rien ne vous y attire, changez d'adresse.

2 **Orientez vos coups de cœur en fonction des tendances.** Pour vous inspirer, parcourez les magazines de mode, visitez les boutiques dernier cri. Remarquez les couleurs et les silhouettes, les imprimés et l'esprit général des collections. N'achetez que ce qui colle à la mode du moment. Laissez aux experts la tâche délicate de spéculer sur ce qui a des chances d'être dans le coup dans six mois ou un an.

3 **Les mardis et les mercredis sont les journées par excellence pour magasiner dans les friperies.** Les proprios ont eu le temps de regarnir les présentoirs vidés des choses intéressantes pendant le week-end et la foule des jeudis et des vendredis n'est pas encore passée.

4 **Les vêtements modifiés ou recoupés peuvent rarement être modifiés par la suite.** Les tissus qui les composent sont souvent usés, les ourlets et rentrés de couture réduits au minimum. Dans ces boutiques, n'achetez donc que ce qui vous plaît tel quel.

5 **Évitez les vêtements tachés ou déchirés.** Dans la plupart des cas, vous n'arriverez ni à les nettoyer, ni à les rapiécer comme il se doit. Avant de le mettre en vente, les proprios de la friperie ont sûrement déjà essayé.

6 Les boutons abîmés et les glissières rouillées peuvent être changés très facilement et font de vrais petits miracles pour rafraîchir un vieux vêtement.

7 Préférez les vêtements que vous pourrez coordonner à d'autres pièces de votre garde-robe. La mode en «kit», qu'elle vienne d'une friperie ou d'ailleurs, est tout ce qu'il y a de plus ennuyant. Le secret, c'est de parvenir à associer des vêtements d'hier à d'autres d'aujourd'hui.

8 Le blanc des vêtements d'hier est toujours jauni. Rien ne peut lui redonner son éclat. Donc, on se rabat sur d'autres teintes.

9 Prudence avec les chaussures, qui font des nids de choix pour les bactéries. Si vous tenez absolument à acheter une paire de godasses usagées, faites changer la semelle intérieure chez le cordonnier. Ça coûte rarement plus de 5 $.

10 Les tricots percés se réparent facilement si vous savez tricoter. Travaillez avec un crochet pour reprendre les mailles et au besoin, utilisez du fil invisible.

14.

Faire sa valise

Comment mettre les voiles *sans stress ni soucis*

Vous n'êtes pas du genre à pouvoir vivre un mois le sac au dos toujours dans le même jean. Vous l'avez peut-être fait dans les années 70 mais aujourd'hui, vos pérégrinations n'ont plus ce côté bohème que vous évoquez parfois avec un filet de nostalgie dans la voix. Voyager, vous le savez, est devenu une activité qui exige un peu plus d'organisation qu'à l'époque lointaine où il suffisait de lever le pouce en l'air pour mettre les voiles.

Avant d'empiler pêle-mêle vêtements et chaussures dans une valise, commencez par penser au contenant dans lequel vous glisserez vos petites affaires. Avant de choisir, considérez la durée du séjour autant que le moyen de transport que vous utiliserez pour vous déplacer. Une housse de nylon ou un gros polochon en tissu, c'est parfait quand on n'a qu'à les placer dans la malle arrière de la voiture. Mais s'ils tombent entre les mains de préposés aux bagages d'un grand aéroport, votre compte est bon.

Celles qui voyagent en autocar devraient penser qu'elles devront transporter elles-mêmes leurs bagages sur une bonne distance, au Québec du moins, car nous sommes malheureusement condamnées aux gares d'autobus mal conçues et pauvrement équipées, où trouver un chariot à bagages est une utopie en soi. Et c'est sans parler du train. Donc, voyageuses en chemin de fer ou en autocar, tenez-vous-en à un seul bagage, à roulettes et pas trop lourd. Si vous devez transporter des paquets lourds, expédiez-les par autocar avant vous et faites-les livrer chez vos hôtes ou à l'hôtel où vous descendrez. C'est un peu plus cher, mais votre dos n'a pas de prix.

BON BAGAGE, BON VOYAGE

▶ **Vous partez en auto?** Allez au plus simple: fourre-tout en tissu ou en cuir, housse à vêtements ou sac de gym en nylon, polochon et ainsi de suite. Osez les bagages plus lourds et le superflu. Inutile de vous taper des nuits blanches pour du pratique à tout prix.

▶ **Train ou autocar?** Pensez léger et facile à porter. Valise souple ou sac à roulettes, housse à vêtements avec le minimum ou gros sac à dos de randonneur.

▶ **Avion?** Ça vous prend du solide. Non seulement pour protéger vos effets des bagagistes musclés, mais aussi pour des questions de sécurité; rappelez-vous les fameuses «valises rouges». La valise rigide est le meilleur choix et pour les plus bohèmes, le sac à dos de randonnée déjà mentionné.

EXPLORONS LES CONTENANTS

La housse à vêtements

C'est l'indispensable des voyages d'affaires.

POUR: Elle évite des faux plis aux tailleurs et elle se fait et se défait en moins de deux.

CONTRE: Sa petite capacité. Une paire de chaussures en trop devient une catastrophe et la fait gonfler.

AVANT D'ACHETER: Choisissez-la plus rigide pour éviter que vos vêtements, s'ils se décrochent, ne viennent s'entasser en boule au fond de la housse. Préférez les modèles où vous pouvez accrocher des cintres classiques en métal. Les cintres spéciaux coûtent cher et sont souvent difficiles à remplacer si vous les perdez.

Le sac à dos

Celui-là, nous l'avons déjà dit, est parfait quand on n'a pas peur de froisser ses vêtements et qu'on sera appelé à porter soi-même ses bagages sur de longues distances (comme pour la visite de tout un pays en train ou en autocar, par exemple).

POUR: Bien conçu, il se transporte comme un charme. Vous pouvez y entasser des kilos et des kilos de trucs, vous installer tout ça sur le dos et hop! vous êtes prête pour une course autour du monde.

CONTRE: Un bon sac à dos coûte les yeux de la tête... et fait saliver les voleurs. Quand on pense qu'un modèle haut de gamme peut coûter dans les 400 $, souvent plus, on peut comprendre qu'il suscite la convoitise souvent bien plus que ce que vous avez mis dedans.

AVANT D'ACHETER: Choisissez du nylon indéchirable et imperméable. Essayez le sac avant de sortir votre portefeuille et surtout, achetez dans une bonne boutique spécialisée si vous prévoyez l'utiliser beaucoup (voyez nos adresses). Une armature interne souple, des bretelles coussinées et une large ceinture lombaire sont un minimum.

La valise souple

C'est la valise standard, qui convient à tous et à toutes les occasions. Préférez la version pullman, avec roulettes et dragonne (c'est la courroie qui servira à la tirer derrière vous), ou la valise verticale, à poignée escamotable.

POUR: Même de bonne qualité, elle demeure abordable. Elle est légère et possède une capacité surprenante, puisque même remplie à craquer, le tissu dont elle est faite trouvera les moyens de s'étirer encore davantage.

CONTRE: À petit prix, la valise souple est souvent d'une qualité désespérante. Des roulettes qui plient ou se cassent au premier usage et des zips qui coincent peuvent devenir de sérieux désagréments en voyage.

AVANT D'ACHETER: On ne saurait trop recommander de vous en tenir aux bonnes marques (Delsey, Samsonite et compagnie), qui offrent du nylon indéchirable et imperméable, de la quincaillerie et des zips solides et de qualité ainsi qu'une bonne garantie. Cela dit, assurez-vous que le modèle choisi soit verrouillable à combinaison et non avec une clé, que l'on peut perdre, oublier à la maison ou laisser à côté de la valise verrouillée dans sa chambre d'hôtel, ce qui n'est guère mieux que de la laisser ouverte. L'intérieur devrait comporter des sangles pour retenir les vêtements et les coins devraient être suffisamment rigides pour qu'elle se tienne bien.

Si vos valises ne comportent pas de roulettes et que vous voyagez souvent par train ou par autocar, procurez-vous un petit porte-valise pliant. On les trouve dans les magasins spécialisés. Leur prix varie selon leur capacité de charge.

Pour prolonger la durée de vie des fermetures éclair en métal de vos bagages, lubrifiez-les deux ou trois fois par année (le lubrifiant de marque WD 40 s'acquitte très bien de cette tâche).

La valise rigide

C'est à mon avis l'accessoire par excellence de toute voyageuse avisée.
POUR: Elle se ferme avec des clips et non des zips, qui risquent de rouiller ou de s'enrayer au fil des ans. Munie de roulettes, elle se transporte comme un charme. Elle résiste aux intempéries autant qu'aux voleurs.

CONTRE: Quand on a peu d'espace de rangement dans la maison, la valise vide est encombrante. Elle le sera aussi si vous n'avez besoin que de deux ou trois bricoles et que vous n'avez pas de valise plus petite. Trop remplie, les clips qui la referment peuvent sauter et vous faire vivre un cauchemar à l'aéroport. On a aussi déjà vu des valises s'ouvrir subitement après avoir été lancées sans ménagement dans un carrousel par un bagagiste (encore lui).

AVANT D'ACHETER: Votre valise rigide devrait comporter les mêmes caractéristiques que celles de la valise souple. En plus, assurez-vous qu'elle soit équipée d'une dragonne solide ou d'une poignée latérale qui ne risquera pas de se casser au premier usage et que tous les clips qui la ferment soient verrouillables.

Un mot sur le sac de vol

Il est indispensable quand on part plusieurs heures en avion. Choisissez un sac à glissière, à bandoulière rembourrée, dont toutes les poches se ferment bien, par un zip ou autrement, car tout ce qui est ouvert fait la joie des pickpockets (sans compter qu'ils aiment déjà beaucoup les touristes). L'intérieur contiendra votre trousse de survie (nous aborderons cela plus loin) et l'une des poches, à laquelle vous aurez facilement accès, contiendra la paperasserie d'aéroport (passeport et billet, formulaire pour les douanes, carnet de vaccination et tout le reste).

MAINTENANT, FAITES VOS BAGAGES

Cela peut sembler fort simple, alors qu'en fait, des bagages bien faits et bien pensés exigent un remarquable sens de l'organisation et, n'ayons pas peur des mots, une bonne dose de logique et d'ingéniosité. Force est de constater que tout le monde ne possède pas de tels talents, du moins si l'on se fie à ce qu'on voit dans les aéroports et une fois à destination. Certains, chargés comme des mulets, semblent tout droit sortis d'une mer de réfugiés palestiniens alors qu'en réalité, ils vont simplement se la couler douce quelques jours dans le Sud. D'autres ont fait leur valise avec si peu de soin qu'on se surprend à prier pour qu'ils n'aient pas oublié d'emporter un fer à repasser.

Vous éviterez d'appartenir à l'une ou l'autre de ces catégories en procédant en quatre étapes.

1 Faites une liste des essentiels à apporter à chaque voyage.

2 Dressez une autre liste, qui comprendra les articles dont vous aurez besoin pour le voyage que vous vous apprêtez à effectuer.

3 Sortez tous les vêtements, les chaussures et les accessoires inscrits sur votre liste, examinez-les et essayez-les au besoin.

4 Enfin, placez le tout dans votre valise avec ordre et méthode.

Voyons maintenant ces étapes plus en détail.

1re étape: la liste permanente

Celle-ci sera la plus précieuse et la plus importante. Elle devra regrouper tous les petits riens que vous apportez chaque fois que vous voyagez et que vous finissez un jour ou l'autre par oublier parce que, justement, vous êtes tellement sûre de les avoir pris avec vous. Vous rangerez cette précieuse liste avec vos documents importants, contrats d'assurances, bail, passeport et ainsi de suite, de façon à pouvoir toujours la trouver facilement. Si vous avez un ordinateur à la maison, entrez-y votre liste et gardez-la en mémoire. Au retour de chaque voyage, vous y inscrirez, s'il y a lieu, les articles que vous n'aviez pas apporté et que vous auriez beaucoup aimé avoir pendant votre séjour.

Voici la liste qui se trouve dans mon classeur (et dans mon ordinateur). Elle correspond à mes besoins, mais pourrait finalement convenir à n'importe qui. Bien sûr, je retranche certains éléments selon le type de voyage que je fais. Je n'apporte pas de parapluie pour un séminaire de deux jours au cœur du mois de janvier.

Pour le sac de vol:

▶ Magazines ou livre.

▶ Atomiseur Évian pour éviter la peau sèche à l'arrivée.

▶ Peigne et miroir, poudrier, rouge à lèvres et débarbouillette dans un *Ziploc* pour se refaire une beauté avant de débarquer.

▶ Petite bouteille de détachant *Right Out,* parce qu'en avion, on est souvent en train de manger quand surviennent les turbulences.

▶ Médicaments prescrits (si j'en prends), aspirines et antihistaminiques.

▶ Sachet de tisane «bon sommeil» ou comprimés de valériane (pour dormir et éviter ainsi de se taper le film).

▶ Ballerines *Isotoner* pour ne pas se salir les pieds sur la moquette de l'avion et de la chambre d'hôtel.

▶ Passeport, billet d'avion, portefeuille avec un peu de monnaie dans la devise du pays où on se rend pour prendre un taxi à l'arrivée. N'oubliez pas d'enlever de votre portefeuille toutes les cartes dont vous n'aurez pas besoin, pour l'alléger et limiter les désagréments si vous le perdez.

▶ La liste des vêtements que vous apportez. Vous saurez ainsi plus rapidement quels vêtements assortir. Sans compter que cela facilite grandement les choses si vous devez faire une réclamation pour bagages perdus. Vous devriez aussi apprendre par cœur votre numéro de passeport et l'inscrire dans un endroit secret (je l'ai écrit dans mon carnet d'adresses et sur un ruban-cache au fond de ma valise).

Dans votre trousse de toilette:

▶ Pansements adhésifs réguliers et d'autres pour les cors et les ampoules aux pieds.

▶ Disques d'ouate et peroxyde dans une petite bouteille de pellicule photo.

▶ Crème solaire haute protection.

▶ Fil et aiguilles (on prend les petites trousses qu'on laisse dans les chambres d'hôtels), épingles de sûreté et couteau suisse (avec ustensiles, ciseaux, tire-bouchon et ouvre-bouteille).

▶ Ce qu'il faut pour le visage: démaquillant et tonique en un, crème hydratante, en version échantillon si on ne part que quelques jours

▶ crème teintée (elle hydrate et maquille à la fois), poudre compacte, mascara, ombre à paupières, fard à joues et deux rouges à lèvres, un pour le jour, un pour le soir.

▶ Brosse à dents et dentifrice (j'en laisse en permanence dans ma trousse de voyage car je les oublie souvent).

▶ Médicament contre la diarrhée et laxatif léger; antiacide en sachet.

Dans votre valise:

▶ Caméra et pellicule. N'oubliez pas de vérifier la pile de l'appareil.

▶ Montre à sonnerie, pour le réveil, en plus de la montre que vous avez au poignet.

▶ Chapeau en tissu ou casquette, pour le soleil.

▶ Parapluie télescopique ou blouson de nylon dans une pochette.

▶ Fourre-tout de nylon si vous êtes du genre qui magasinez (plié et vide, il prend peu de place).

▶ Sac-ceinture pour faire échec aux pickpockets.

▶ Sac pour les vêtements à laver (ça évite la valise qui sent la chaussette).

▶ Lunettes de soleil.

▶ Baladeur, cassettes et piles de rechange.

▶ Maillot et bonnet de bain (on devrait l'emporter même pour aller en Alaska. On se sait jamais, l'hôtel a peut-être une piscine).

▶ Carnet d'adresses pour les cartes postales.

▶ Bandeau pour se démaquiller ou bonnet de douche.

▶ Parfum en version échantillon.

▶ Gel douche et shampooing combinés (j'achète la marque *Dans un Jardin;* ce produit fait aussi des merveilles pour laver les dessous!).

▶ Savon en poudre pour la lessive si on part plus de deux semaines.

▶ Nécessaire pour se coiffer: brosse et gel, et, si vous y tenez absolument, sèche-cheveux.

Les produits de toilette ne devraient jamais être placés tels quels dans la valise. Il peuvent se renverser, se briser ou même éclater. Évitez les catastrophes monstres et les factures de nettoyage dans les trois chiffres en les plaçant dans des sacs de plastique hermétiques (le *Ziploc* étant un classique du genre). Vos vêtements ne risqueront rien en cas de dégâts, vous repérerez facilement vos affaires et les douaniers seront beaucoup plus expéditifs s'ils vous font ouvrir votre valise au retour.

2e étape: la liste d'avant-voyage

C'est la seconde clé pour réussir des bagages parfaits. Comment la faire? Il y a deux méthodes. La première convient mieux aux voyages d'une semaine ou moins. Vous inscrivez sur une feuille de papier chacun des jours de votre voyage ainsi que les activités qui sont prévues. Ensuite, vous leur adjoignez les vêtements, chaussures et accessoires appropriés. Ajoutez cela à votre liste d'essentiels et vous êtes prête.

Voici, à titre d'exemple, ce que pourrait être votre liste pour une journée.

▶ **Vendredi**

Visite du musée des Beaux-Arts: jean, veston noir, T-shirt rayé, flâneurs, petit sac en cuir.
Souper chez Estelle: jupe beige courte, anneaux dorés, foulard à pois.

(On aura compris qu'on portera aussi la veste noire, le T-shirt, le petit sac et les flâneurs pour aller chez Estelle).

Si vous partez pour une quinzaine ou plus longtemps, dressez votre liste différemment. Personnellement, je fais en sorte d'avoir des dessous et des chaussettes pour une semaine. De toute façon, on peut rarement en apporter plus. Quand mes réserves sont épuisées, je fais la lessive dans le lavabo de ma chambre. Les frais de blanchisserie des hôtels sont scandaleusement élevés.

Faites votre liste de vêtements en fonction de quelques bases de votre garde-robe, du climat qui prévaut et des activités que vous projetez là-bas. N'oubliez pas non plus les contraintes vestimentaires d'ordre religieux ou culturel.

Voici un exemple:

▶ **En mai, je pars quatre semaines en Thaïlande.**

Je me renseigne sur le climat: très chaud et très humide. Donc, je bâtis ma garde-robe autour de trois bermudas et d'un pantalon léger que je couple à de grandes chemises et à une multitude de T-shirts.

J'apprends aussi que pour visiter certains temples bouddhistes, on interdit les épaules nues et les shorts. Mon agent de voyages me conseille un châle en tissu et une robe longue, que je place dans ma valise.

Je veux faire de la randonnée pédestre pendant mon voyage. J'apporte mes bottes de marche, de bonnes chaussettes, un chasse-moustiques et ce qu'il faut pour marcher en forêt.

J'inscris aussi sur ma liste une tenue chic, au cas où nous déciderions de nous offrir une sortie spéciale.

Comment choisir les vêtements qui valent d'être emportés et ceux qu'on devrait laisser? Les vêtements qui voyagent bien répondent à **5** critères:

1 Ils sont légers. Un pull en laine d'agneau vaut mieux qu'un autre en laine bouclette.

2 Ils sont d'entretien facile. On doit pouvoir les détacher ou les laver soi-même en cas de pépin.

3 Ils ne sont pas trop froissants. Jersey, maille et tricot valent mieux que lin, velours et satin.

4 Ils passent aisément au jour au soir, ou vice-versa. Quelques bijoux, de beaux escarpins et un *palazzo* de chiffon aideront une belle veste à être prête pour le soir.

5 Ils se coordonnent avec un grand nombre d'autres vêtements de votre valise. C'est pourquoi ils sont le plus souvent de couleur neutre.

3e étape: inspectez, coordonnez, essayez

Une fois votre liste terminée, placez sur votre lit ou sur une table tous les vêtements que vous aimeriez emporter, de même que les chaussures et les accessoires auxquels vous les coordonnerez. Inspectez-les soigneusement et éliminez les trop froissants, ceux qui sont tachés ou auxquels il manque un bouton, à moins que vous ayez le temps de le recoudre. Ensuite, terminez vos choix en vous basant sur ce petit aide-mémoire en **10** points:

1 Privilégiez les couleurs neutres. Une seule devrait suffire, en plus du noir ou du blanc. Les couleurs vives seront utilisées en accents et se retrouveront sur les chemisiers ou les T-shirts, les bijoux ou les foulards.

2 Les bases gagnantes sont les suivantes: une belle veste, une jupe pour le jour, une pour le soir, un pantalon sport et un autre plus chic. Bien sûr, tout dépend du type de voyage que vous faites. Une semaine sous les tropiques se passera mieux avec des shorts, des petites robes et des maillots qu'avec un tailleur.

3 Une fois choisies vos bases, associez-les à des hauts de couleur et à des accessoires. Sélectionnez ceux qui sont le moins froissants et le moins salissants. Col roulé, chemisier, polo, T-shirt... et ainsi de suite.

4 Trois paires de chaussures suffisent toujours, qu'on parte une semaine ou trois mois. Avant de partir, cirez-les, brossez-les et veillez à ce qu'elles soient en bon état.

5 Oubliez le blanc et les teintes très claires. Elles se salissent en moins de temps qu'il n'en faut pour l'écrire.

6 Prévoyez toujours une tenue «extrême»: des vêtements chauds si vous allez là où il fait chaud et du léger si on prévoit qu'il va faire froid. Le temps a parfois de ces caprices!

7 Regardez chaque vêtement sous toutes les coutures avant de le mettre dans votre valise: un chemisier taché ou avec un bouton qui manque sera toujours de trop.

8 N'étrennez jamais de vêtements en voyage. Portez-les au moins une fois avant le départ afin de juger de leur confort et de faire effectuer des retouches, si nécessaire. Vous ne devriez emporter que des vêtements que vous aimez.

9 Assurez-vous que chaque vêtement choisi pourra être porté d'au moins deux façons. Ainsi, vous n'apporterez rien d'inutile.

10 Au moment de choisir les chaussettes et les dessous, pensez aux vêtements avec lesquels vous les porterez. Cela vous évitera la culotte noire sous un pantalon clair ou les bas de nylon avec chaussures de sport.

4e étape: chargez!

▶ La housse à vêtements

Accrochez tous les vêtements à des cintres. Mettez les collants et les foulards dans les chaussures ou suspendez-les aux cintres et videz toutes les poches. Mettez vos bijoux dans des pochettes de tissu ou des sacs de plastique puis dans une pochette de la housse ou dans votre trousse à maquillage.

Glissez les chaussures dans un sac en tissu et accrochez-les à l'un des cintres ou glissez-les tels quels dans l'une des poches de la housse. Placez les vêtements moins froissants dessous, les plus froissants dessus. Enfilez ces derniers dans les sacs de plastique du nettoyeur, ou dans de vieilles taies d'oreiller.

▶ Le sac à dos

Placez les objets plus légers au fond du sac et les plus lourds (bottes, chaussures, articles de toilette) plus haut et le plus près possible du dos, afin de réduire la fatigue si vous devez marcher beaucoup avec vos bagages. Commencez par les vêtements que vous porterez moins souvent et placez sur le dessus ou dans les poches extérieures les choses dont vous pourriez avoir besoin à l'arrivée ou à l'aéroport.

▶ Le polochon

Placez les chaussures au fond, puis les objets les plus lourds (trousse de toilette, produits de beauté). À la suite, mettez les chaussettes et tout ce qui ne froisse pas pour terminer avec les vêtements plus froissants, soigneusement pliés.

▶ La valise classique

Au fond les objets lourds, sur le dessus les objets plus légers. Les tricots et les infroissables dessous, les pantalons ensuite, les vestes et les chemisiers dessus. Les bonnes valises comportent souvent un crochet auquel on peut installer des cintres, alors profitez-en pour y regrouper tous vos vêtements froissants. Placez les chaussettes et les dessous dans les coins pour utiliser tout l'espace; glissez les foulards dans les manches des vestes, les bijoux dans les chaussures ou dans les pochettes intérieures que comporte votre valise.

Placez toujours vos chaussures dans des sacs de plastique, pour éviter qu'elles ne salissent vos vêtements. Pour gagner de l'espace, vous pouvez glisser dedans vos pochettes à bijoux, des sous-vêtements ou des chaussettes, la pellicule photo, vos ceintures roulées ou divers autres objets.

On dit que les vêtements roulés arrivent à destination moins froissés que ceux que l'on plie. Après vérification et expérimentation à maintes reprises, j'en suis venue à la conclusion que rien ne permet de croire que c'est vrai. Par contre, vous pouvez arriver à destination avec des vêtements moins froissés en les pliant intelligemment.

▶ La veste

Placez les épaules l'une dans l'autre en retournant l'un des côtés, mais non les manches. Pliez-la en deux, la doublure vers l'extérieur, en vous assurant que les manches soient bien au centre.

▶ Le pantalon

Placez-le à plat, la taille au centre de la valise. Placez dessus vos autres affaires puis repliez les jambes sur l'ensemble une fois la valise terminée.

▶ Le chemisier

Boutonnez tous les boutons; pliez les manches au dos et pliez-le en deux.

SITÔT ARRIVÉE, DÉFAITES!

Vous minimiserez grandement le problème des vêtements froissés en défaisant votre valise à l'arrivée. Retirez de la valise tout ce que vous pouvez suspendre à des cintres et laissez-y le reste. Tout le monde connaît le vieux truc qui consiste à suspendre les vêtements vraiment très froissés dans la salle de bains au-dessus d'une baignoire contenant de l'eau chaude. Vous pouvez aussi les suspendre sur un cintre derrière la porte de la salle de bains, puis prendre une douche la porte fermée. Enfin, si ça ne marche pas, humidifiez-les avec un vaporisateur rempli d'eau ou avec votre brumisateur Évian et laissez-les sécher à l'air libre.

Enfin, comme vous aurez eu la bonne idée de choisir une valise verrouillable, lorsque vous aurez fini de la vider de son contenu, vous y placerez toutes vos petites affaires, vos bijoux et ainsi de suite et vous la verrouillerez chaque fois que vous sortirez, question de ne pas tenter les voleurs.

TROIS VALISES PARFAITES

À titre d'exemples, voici trois voyages types auxquels se greffe une liste de vêtements réduite au minimum. Les vêtements suggérés ne comprennent pas les articles qui se retrouveront sur votre liste d'essentiels.

En parcourant ces trois exemples, vous verrez que lorsqu'on veut voyager léger, on ne se change pas trois fois par jour. Attendez-vous donc à devoir vous limiter un peu côté variété. Si vous vous inspirez de ce qui suit, votre dos et vos bras vous en seront reconnaissants.

Un long week-end de *Thanksgiving* à New York

▶ Un jean, un chemisier de couleur, un blazer en tweed camel et noir (moins salissant qu'un modèle uni), une ceinture et des chaussures de marche pour le voyage du jeudi.

▶ Pour le vendredi, un pantalon *chino* foncé et le T-shirt d'un *twin-set*. La veste camel, les chaussures de marche et la ceinture de la veille.

▶ Vendredi soir, souper en ville, petite jupe et collant noir, escarpins et le chemisier. Prévoir des bijoux, une belle ceinture et un sac.

▶ Samedi, on marche en jean, *twin-set* et chaussures de marche. On a en plus un parka de nylon. Le temps est gris, on ne sait jamais.

▶ Samedi soir, *night life.* On a apporté une petite robe de tricot qu'on enfile sous notre blazer camel et noir et on porte les bijoux du vendredi.

▶ Dimanche, brunch puis retour. On porte les mêmes vêtements qu'à l'aller.

En tout: 1 veste, 2 pantalons, 1 chemisier, 1 jupe, 1 *twin-set,* 1 robe, 1 anorak, 2 ceintures, 1 sac à main, quelques bijoux et 2 paires de chaussures, soit 8 vêtements et 5 accessoires pour trois jours.

Voyage d'affaires: quatre jours à Toronto

L'heure n'est pas à la séduction, mais au boulot. Contentez-vous donc d'être pratique, et ajoutez à vos basiques des accessoires choisis qui témoigneront de votre souci du détail et de votre bon goût.

▶ Jour 1

Avion, réunion toute la journée et souper avec des clients

Une veste beige chaud avec une jupe noire; un col roulé noir avec ou sans manches, un foulard imprimé vert pomme, blanc et noir; des escarpins moyens noirs et une ceinture fine. Prenez un imper sur votre bras si c'est l'automne. Glissez un parapluie téléscopique dans votre housse.

Pour le souper: une robe noire sans manches, des bijoux dorés, un beau sac et une veste vert pomme. Un collant noir et des chaussures qui font soir.

279

► **Jour 2**

Visite industrielle, lunch et conférence en après-midi

Un pantalon, que vous porterez avec le roulé noir, la veste beige, la ceinture fine et les chaussures du jour 1. Une broche intéressante ou autre chose du genre pour les dérider un peu.

► **Jour 3**

Vous passez la journée au bureau torontois de votre employeur

La robe sans manches et la veste beige du jour 1. Des boucles d'oreilles et un foulard si ça vous sourit. Les escarpins du jour 1 et un collant diaphane.

Le soir: changez les bijoux, rehaussez le maquillage, retirez le foulard et emportez un sac chic. Changez de chaussures, passez un collant noir. Ou encore, portez la robe seule avec un foulard griffé de belle facture.

► **Jour 4**

On revient à la case départ

Même tenue que le jour 1, avec la veste vert pomme pour changer un peu.

En tout: 2 vestes, 1 jupe, 1 robe, 1 pantalon, 1 col roulé, 1 ceinture, 2 ou 3 foulards, 2 paires de chaussures, 2 ensembles de bijoux, 1 sac du soir et 4 collants, soit 6 vêtements et 7 accessoires pour 4 jours.

Si vous voyagez souvent pour votre travail, vous serez souvent appelée à porter les mêmes vêtements ou presque plusieurs jours d'affilée. Pour cette raison, des tissus de bonne qualité sont indispensables. Les tissus bon marché ne résisteraient jamais à pareil régime. Après deux jours, vous auriez l'air d'avoir passé la nuit sur la corde à linge!

Vacances dans le Sud: une semaine au Mexique

Les bagages les plus faciles à faire, mais aussi ceux pour lesquels il est le plus facile d'en emporter trop... ou pas assez. Ici, point de liste d'activités: on mise sur le repos et le *farniente.* La clé du succès: penser coordonnés et essayer de s'en tenir à deux gammes de teintes.

Outre des essentiels choisis, on pourrait emporter:

▶ 2 maillots: un plus sportif pour braver les vagues et un autre pour jouer les sirènes au bord de la piscine et pour chacun, une sortie-de-bain (chemise en voile, grand pull à capuchon — oubliez le tissu-éponge, lourd et volumineux).

▶ 1 paréo, si vous aimez (tout le monde dit qu'il est démodé, mais rien d'aussi pratique n'est arrivé à le remplacer).

▶ 1 *legging* et 1 grand chemisier à enfiler pour prendre l'apéro sous un parasol.

▶ 2 robes: une à fleurs en coton pour le *shopping* en ville et une plus habillée que l'on portera le dernier soir. Avec elles, des sandales qui peuvent marcher et d'autres plus habillées.

▶ 2 shorts: un type cycliste pour le sport (il se lave bien), l'autre genre plein air en coton kaki.

▶ 2 débardeurs de coton, 2 T-shirts.

▶ Un fourre-tout léger en tissu.

▶ Une bonne paire de chaussures de sport, des sandales chic, d'autres plus décontractées et des babouches en caoutchouc pour le bord de la piscine.

► Avec ça, quelques bijoux. Rien de cher que vous regret-teriez.

En tout: 20 vêtements et accessoires. Voilà qui devrait entrer amplement dans votre valise ou votre sac à dos et en prime, vous aurez tout l'espace voulu pour les souvenirs à rapporter.

15.

Entretien, entreposage nettoyage:
de bonnes idées
pour maximiser
votre capital-vêtements

L es vêtements coûtent cher et la première de toutes les élégances, c'est de savoir comment leur garder leur beauté. Inutile de jouer à Mme Blancheville et de vous esquinter des heures entre laveuse et planche à repasser. Quand on sait s'organiser, notre garde-robe peut garder fière allure sans trop d'efforts. Pour vous y aider, voici donc de bonnes idées et des recettes éprouvées qui, mises en pratique, assureront à vos vêtements et accessoires une durée de vie prolongée.

A

Alors, ça déteint ou pas?

Pour le savoir, mouillez légèrement une partie peu visible du vêtement puis pressez dessus un disque d'ouate ou un mouchoir blanc. Si le tissu laisse échapper de la couleur, lavez séparément. Une poignée de sel ajoutée à l'eau du lavage (froide, bien sûr) ne nuit pas.

Ammoniaque

Pour laver impeccablement à l'eau froide des vêtements bon teint particulièrement sales, mélangez 60 ml (1/4 tasse) d'ammoniaque et une mesure de votre détersif habituel dans 2 litres d'eau chaude puis versez le tout dans la laveuse remplie d'eau froide. Y placer ensuite les vêtements. Je l'ai essayé et je n'en reviens pas encore.

B

Bijoux

Placez-les dans une pochette en tissu satiné fermée par un cordon avant de les glisser dans une chaussure, puis dans votre valise. À la maison, les bijoux plus fragiles (comme les perles, vraies ou fausses) devraient toujours être rangés dans de telles pochettes.

▶ Placez les autres bijoux dans un coffret digne de ce nom ou dans votre placard, classés dans une trousse en plastique munie d'un cintre, comme celles qu'on apporte en voyage.

▶ Si l'espace manque, piquez vos broches sur un babillard en liège ou sur un coussin à épingles pour la couture suspendu au mur.

Bottes d'hiver

Vos bottes devraient être nettoyées et cirées chaque semaine. Comme elles sont souvent mouillées, portez des bottes différentes la semaine et le week-end, question de donner le temps à chacune de bien sécher avant de leur prodiguer l'entretien voulu. Pour en faire sécher l'intérieur plus vite, remplissez-les de papier. Celui des sacs d'épicerie ou des journaux suffit.

▶ Pour enlever les taches de calcium, il y a mieux que l'habituel mélange eau et vinaigre (l'acide acétique finit par dessécher le cuir). Le cordonnier peut vous conseiller un détachant efficace et beaucoup plus doux.

C

Cachemire

▶ Nettoyage: Jamais de laveuse ni de sécheuse pour ce tricot qui s'use plus vite que les autres. Au lieu de l'envoyer au nettoyage à sec, lavez-le à l'eau froide sans l'essorer, sortez-le de l'eau et pressez-le entre deux serviettes avant de le faire sécher à plat.

▶ Rangement: Dites adieu aux faux plis sur votre tricot fin en le pliant en deux sur le sens de la largeur, puis en pliant les manches au niveau des épaules vers l'intérieur. Évitez de le suspendre sur un cintre: il finira par se déformer.

Ceintures

▶ Rangement: Accrochez-les à une patère murale à crochets multiples, vissée à l'intérieur de la porte de votre placard. Ou encore, enroulez-les sur elles-mêmes avant de les glisser dans un tiroir ou enfilez-les dans un cintre. Il serait sage de ne pas plier les ceintures en cuir pour les ranger entre les saisons. Elles marqueront à jamais. Également, ne laissez jamais une ceinture dans un pantalon. Il vous punira en exigeant un repassage.

▶ Nettoyage: Pour redonner son lustre à la boucle d'une ceinture, utilisez de la pâte pour polir la coutellerie ou du *Brasso*. Les ceintures de jute peuvent être nettoyées avec un linge mouillé. Ne les imbibez jamais complètement, elles rétréciront en séchant.

Chaussures

▶ Avant de porter vos chaussures, si elles sont en cuir lisse ou naturel, vaporisez-les avec un bon protecteur à base de silicone. Répétez l'opération deux fois, puis laissez sécher plusieurs heures. Si vous les portez souvent, répétez l'application de protecteur une fois par semaine ou à peu près.

▶ Si vos nouvelles chaussures sont en suède, utilisez un protecteur pour suède. Le cuir verni et le vinyle ne requièrent aucune protection. Les chaussures en satin, en tissu ou en toile devraient impérativement être vaporisées au *scotchgard* ou avec un protecteur pour tissus vendu dans les cordonneries et magasins de chaussures. Rangez les chaussures de satin blanc à l'abri de la lumière pour les empêcher de jaunir.

▶ Ne vaporisez jamais de protecteur au silicone sur un cuir naturel ou un cuir mat de couleur claire. Ils fonceront.

▶ La plupart des produits pour le cirage sont des crèmes ou des vaporisateurs. Ils ont pour but de polir, de protéger et d'embellir les chaussures, certes, mais ont aussi pour fonction d'hydrater le cuir pour le faire durer plus longtemps. Hydrater la peau, c'est prolonger sa jeunesse, n'est-ce pas?

Chaque semaine ou, faute de mieux, chaque quinzaine:

▶ Examinez vos chaussures et si certaines sont sur le point de se briser, passez sans attendre chez le cordonnier (un petit bobo coûte moins cher qu'un bris majeur).

▶ Cirez celles qui sont en cuir lisse; essuyez celles qui sont en cuir verni et vaporisez du protecteur sur les cuirs naturels.

Collants et bas

Placez les bas et les collants de même teinte ensemble dans de grands sacs *Ziploc*. Ça évite le tiroir à l'envers et ça vous permet aussi de gagner un temps précieux et d'éviter les crises existentielles les matins pressés. Bien sûr, lavez-les toujours à la main; seules les chaussettes aiment la machine à laver. Considérez le filet à lingerie comme un recours ultime et exceptionnel.

Cuir

Le cuir et le suède n'aiment pas le nettoyage à sec, même si c'est la seule solution quand un pépin majeur survient. Si vous ne pouvez l'éviter, assurez-vous de faire affaire avec des spécialistes et confiez-leur tous les vêtements d'un même ensemble. De cette façon, tous déteindront de la même façon.

▶ Pour éviter d'avoir à faire nettoyer un pantalon ou une jupe, n'en lavez que la doublure, au savon doux et à l'eau tiède. Suspendez le vêtement doublure dehors pour le sécher. Pour le cuir comme tel, une crème ou un protecteur en vaporisateur appliqué de temps à autre est indispensable. Il existe aussi des nettoyants en crème qui sont très efficaces. Un bon détaillant pourra vous renseigner sur le produit à acheter.

▶ Évitez les genoux bombés sur le pantalon de cuir en le suspendant sur un cintre à pantalon immédiatement après l'avoir enlevé. Évitez aussi de le porter plusieurs jours d'affilée.

▶ Cuir ou suède mouillés: épongez avec des essuie-tout ou des serviettes, en pressant à la fois sur l'endroit et sur l'envers du cuir. Ne frottez pas. Placez le vêtement sur un cintre de plastique et laissez sécher à l'air ambiant, jamais près d'une source de chaleur.

▶ Portez un foulard avec votre manteau de cuir pour éviter, à long terme, le cerne gras autour du col.

▶ Défroissez le cuir à la vapeur (dans la salle de bains pendant votre douche, par exemple). Dans les cas extrêmes, couvrez-le de papier brun avant d'y faire glisser un fer tiède.

▶ Le cuir, comme le suède, sont des peaux et ont besoin d'être hydratés. Appliquer régulièrement un produit de protection approprié est la plus sûre façon de leur prêter longue vie.

F

Fausse fourrure

La fausse fourrure exige un minimum de soins et elle n'a pas besoin d'entreposage.

▶ Elle requiert le nettoyage à sec, avec procédé «fourrure». Plus dispendieux que le nettoyage classique, il aidera à garder au manteau toute sa beauté. Confiez votre manteau au nettoyeur en fin de saison.

▶ Brossez le manteau de temps à autre. Pour le faire, les spécialistes recommandent ces brosses à poils de métal que l'on vend dans les boutiques d'animaux et qui sont conçues pour les chiens.

▶ Pour les taches, allez-y avec de l'eau et du savon doux. Le manteau qui comporte des taches plus sérieuses (huile, encre, vernis à ongles et autres catastrophes) doit être porté d'urgence chez un bon nettoyeur ou un spécialiste de la fourrure.

▶ De grâce, n'essayez jamais de détacher une fausse fourrure — ni n'importe quel vêtement d'ailleurs — avec des nettoyants domestiques *(Fantastik* et autres) et encore moins avec des solvants. Vous riez? Pourtant, n'avez-vous pas une «bonne amie» qui, croyant bien faire, vous a un jour conseillé d'utiliser de l'essence à briquets ou du dissolvant pour vernis à ongles pour dissoudre une tache et que finalement, c'est le tissu lui-même qui a fini par se dissoudre?

▶ En saison, rangez votre manteau sur un cintre de bois et gardez-le à l'abri des sources de chaleur. Le printemps venu, évitez de le glisser dans un sac-poubelle ou une housse en plastique. Il risque de s'y développer de l'humidité qui pourrait en altérer la beauté et le transformer en un terrain de choix pour les moisissures. Préférez une housse à vêtements en tissu.

Fourrure véritable

▶ N'employez jamais de produit nettoyant ni de détachant sur une fourrure. De l'eau suffit. Laissez sécher la tache lorsque c'est possible (boue, aliments et ainsi de suite), puis frottez doucement avec une brosse ou du papier absorbant. Si la tache persiste, demandez conseil à votre fourreur sans attendre.

Le nettoyage annuel doit être effectué par l'entremise de votre fourreur après qu'il a inspecté votre manteau afin de voir si des réparations ou des retouches sont requises.

▶ Entreposage: il est indispensable. Le prix est établi en fonction de la valeur du manteau.

▶ S'il a plu sur votre fourrure, ne l'enfermez pas dans un placard. Accrochez-la sur son cintre et laissez-la sécher dans un endroit bien aéré, loin des sources de chaleur.

G

Gore-Tex

Le *Gore-Tex* et le nylon sur lequel il est habituellement laminé ne vont absolument pas au nettoyage à sec. Lisez l'étiquette du vêtement, qui vous dira s'il est lavable à la machine ou à la main. Un séchage à l'air ambiant au lieu de la sécheuse ne nuit jamais. Le repassage n'est pas conseillé non plus.

J

Jean

Lavez le jean à la machine à l'eau froide, au cycle régulier et ne le laissez pas traîner mouillé plusieurs heures dans la cuve de la machine. Même s'il a subi un apprêt pour fixer sa teinture, il peut perdre de sa couleur par endroits et devenir marbré.

▶ Placez votre jean dans la sécheuse au cycle régulier. Rassurez-vous, il ne rétrécira pas: le denim d'aujourd'hui est prérétréci. Il ne perdra pas plus de 5 %, et en longueur seulement. S'il est un peu serré au sortir de la sécheuse, c'est parce que ses fibres se sont contractées au lavage.

▶ Séchées à l'air libre, les fibres de coton de votre jean se raidiront et se contracteront encore davantage. Il ne rétrécira pas plus, même si en apparence, c'est ce qui semble s'être produit.

L

Lainage

▶ Aérez régulièrement les vêtements en lainage. Sur un cintre devant la fenêtre ou dehors, quelques heures de grand air leur redonneront leur forme.

▶ Ne laissez rien dans les poches des vestes. Elles se déformeront et requerront un pressage.

▶ Une brosse vaut cent fois mieux que ces rouleaux couverts d'adhésifs qu'on passe sur ses vêtements pour en retirer les poils. La colle du rouleau, imperceptiblement, laisse des traces sur les tissus. Résultat: plus on l'utilise, plus on attire poils et poussières.

Lin

Le lin rétrécit et contrairement au coton, ses fibres ne reprennent pas leur longueur originelle avec le temps. Vous pouvez le laver au cycle délicat et le laisser sécher à l'air ambiant. Le mettre à la sécheuse équivaut à le mettre... à la poubelle.

Lycra

L'élasthane, le *spandex,* le *lycra,* peu importe comment vous préférez l'appeler, ne va pas dans la sécheuse. Ça marchera sur le coup, mais votre vêtement se déformera et perdra son élasticité avec le temps. Cela vaut pour les maillots et les dessous, mais aussi pour beaucoup de pulls, pour les collants et la majorité des *leggings.*

M

Maillot de bain

Après chaque utilisation, rincez-le à fond à l'eau tiède pour bien enlever les résidus de sel, de chlore et d'eau de mer. Suspendez-le à l'ombre: le soleil risque d'en altérer la couleur. De temps à autre, lavez-le avec du savon liquide pour tissus délicats, du bain moussant, du liquide à vaisselle ou du shampooing.

▶ Rangement: attention au maillot encore mouillé. Il moisira ou tachera.

Manteaux

▶ Tous les lainages se nettoient à sec. Lisez les étiquettes.

▶ Épongez les manteaux en beau lainage qui ont passé de longues minutes sous la pluie avec une serviette ou des essuie-tout. Laissez sécher sur un cintre accroché à la tringle du rideau de douche.

▶ Taches: on offre sur le marché un détachant pour tissus dont on dit beaucoup de bien. Je ne l'ai jamais essayé mais je lui ferais confiance. Il s'agit du nettoyeur de tissus Style 16 de Tana. S'il est aussi efficace que le reste de la gamme l'est pour le cuir, il vaut la peine d'être essayé.

Molleton polyester

Notre fameuse «laine polaire» n'a besoin que d'un lavage et d'un séchage en machine. Surtout pas de nettoyage à sec: elle déteste les produits chimiques. La repasser la fera fondre.

Mousseline

En polyester, laver à la machine et sécher sur un cintre. Elle sera prête en deux heures. En soie, faites-la nettoyer à sec ou lavez-la à la main avec du détergent liquide, essorez le moins possible, rincez à l'eau froide. Dans les deux cas, attention au fer trop chaud.

N

Nettoyage à sec

Un aide-mémoire avant d'apporter vos vêtements chez le nettoyeur:

1 Videz les poches de chacun d'eux.

2 Enlevez les boutons trop fragiles ou enveloppez-les de papier d'aluminium.

3 Raccommodez-les ou réparez-les s'ils en ont besoin. Un bout d'emmanchure décousu peut se terminer en chemisier manchot.

Et bien sûr, lavez ou faites nettoyer à sec ce qui peut l'être avant l'entreposage entre les saisons. Les mites (qui ne s'attaquent qu'aux fibres naturelles, heureusement) sont rares de nos jours, mais peuvent toujours revenir!

P

Paillettes

N'essayez jamais de laver vous-même un vêtement pailleté. Ne le faites nettoyer que si vous devez absolument le faire, car ces petits disques de plastique sont le cauchemar numéro un des nettoyeurs.

Dans votre placard, rangez les vêtements à paillettes à l'envers: ils garderont leur beauté bien plus longtemps s'ils sont à l'abri de la lumière et du même coup, ils ne risqueront pas de faire des mailles dans les tissus des autres vêtements qui pourraient s'accrocher dedans.

Peluche

La peluche a besoin d'un minimum d'entretien et exige peu de soins. Elle ne se froisse pas, ne tache à peu près pas.

▶ Faites nettoyer à sec votre manteau à la fin de la saison et chaque fois que c'est nécessaire (habituellement, vers janvier). Pas besoin du traitement «fourrure». Si le nettoyeur prétend que c'est indispensable, allez ailleurs.

▶ Ne repassez la peluche qu'avec un fer tiède ou froid.

▶ Pour garder la peluche en beauté, utilisez une brosse araignée, dont le bout des poils est recouvert de petits capuchons de plastique. Un brossage lui fera retrouver son air de jeunesse, surtout après la pluie.

▶ Sur les taches: si la matière dont le manteau est souillée n'est pas encore sèche, épongez d'urgence, sans frotter, avec un essuie-tout. Sinon, versez une larme de liquide à vaisselle ou de shampooing sur le bout d'une vieille brosse à dents mouillée. Frottez délicatement, rincez complètement puis épongez l'eau avec votre essuie-tout. Une fois sec, un petit coup de votre brosse et rien n'y paraîtra.

▶ Surtout, ne le mettez jamais dans la laveuse ou la sécheuse! Ça marche pour le nounours des enfants, mais pour un manteau, ça ne va pas du tout. Le problème, ce n'est pas la peluche, mais la doublure, les épaulettes et tout le reste.

Perles

Elles craignent le parfum par-dessus tout. Ne les mettez qu'après vous être vaporisée.

Plastique

Les sacs de plastique hermétiques ne sont pas le bon endroit où ranger le cuir, ni la fourrure, qui ont besoin de respirer. Préférez des housses en coton (on en vend de très bien à bon prix chez *Ikea*). Avant de ranger vos vêtements dans des bacs en plastique, faites quelques trous à la perceuse sur le couvercle ou les côtés pour vous assurer qu'un peu d'air puisse y pénétrer. Entreposez-les ailleurs que dans un sous-sol humide, domicile par excellence de la moisissure.

R

Rayonne

Rayonne, viscose, c'est du pareil au même: la rayonne est faite de la cellulose obtenue à partir de plusieurs végétaux, la viscose utilise celle provenant des fibres du bois. Les deux supportent très mal ou pas du tout la laveuse. Laissez aux autres la rayonne qui provient des Indes ou du Pakistan: même nettoyée à sec, elle ne reste pas belle longtemps.

Robe du soir

Si elle comporte des manches ballon ou de forme spéciale, bourrez-les de papier de soie avant de ranger votre robe sous une housse en plastique. Elles garderont leur forme et vous économiserez un pressage.

S

Sacs à main

Protégez-les, soignez-les et nettoyez-les comme vous le faites pour les chaussures. N'oubliez pas de les bourrer de papier journal pour les entreposer entre les saisons. Un sac déformé n'est bon à rien.

Satin

Le satin de soie se nettoie à sec, se lave à la main et se repasse au fer tiède ou froid. Les synthétiques se lavent et se sèchent en machine.

Soie

La soie lavée va en machine et dans la sécheuse. La soie brute peut être lavée à la main, en eau froide, sans torsion ni essorage, puis séchée à l'air libre sur un cintre de plastique. Repassez toujours la soie au fer froid, une tâche qui sera bien plus facile si elle est encore légèrement humide. Les parfums et les cosmétiques la tacheront pour toujours.

Soutiens-gorge et dessous

Lavez les soutiens-gorge, la lingerie fine et les vêtements de maintien à l'eau tiède et au détergent liquide, les résidus de détersifs en poudre pouvant tacher, surtout les couleurs foncées. Utilisez du détersif liquide, du liquide à vaisselle ou du shampooing. Oubliez les détergents spéciaux vendus dans les boutiques de lingerie, qui sont des attrapes aussi coûteuses qu'inutiles.

▶ Si le temps presse, et à vos risques et périls, glissez vos dessous dans un filet et placez-les dans la laveuse, en eau froide et au cycle délicat. Le truc de la taie d'oreiller, tant de fois cité, donne des résultats médiocres, puisque le savon ne pénètre pas assez dans la taie d'oreiller fermée.

▶ Ne laissez jamais la machine essorer les vêtements; retirez-les avant.

▶ Une fois toute trace de savon délogée, suspendez les vêtements pour les sécher. Ne les placez jamais dans la sécheuse. Pourquoi? Parce que la chaleur de la sécheuse déforme les armatures des soutiens-gorge, abîme les belles matières et enlève leur élasticité aux tissus extensibles.

Suède

▶ Chaque semaine ou chaque quinzaine, brossez le suède avec un bloc pour suède ou une brosse spéciale et appliquez une petite quantité de protecteur conçu pour le suède.

▶ Pour les taches, le nettoyage à sec est un dernier recours. Essayez avant un détachant pour suède. On vend aussi dans les bonnes cordonneries et détaillants de cuir des blocs ou des chiffons pour suède (marque Tana) qui sont étonnamment efficaces pour déloger les taches.

T

Taches

Plus vous agirez vite, plus vous aurez de chances que les taches sur vos vêtements disparaissent. Tous les tissus lavables devraient être épongés; ne frottez jamais, vous aggraveriez les dégâts. Plongez ensuite sans attendre le vêtement dans l'eau froide ou dans l'eau gazeuse (Club Soda). Ensuite, lisez l'étiquette d'entretien et si le tissu accepte le détachant, allez-y (vaporisez du *Chasse-tache*, *Wisk*, *Spray & Wash*, ce genre de choses). Rincez bien le vêtement et lavez-le en eau froide. L'eau chaude cuit les taches et les emprisonne pour toujours dans les fibres. Ne repassez jamais un vêtement si la tache n'est pas complètement disparue: comme l'eau chaude de la laveuse, il la scellera irrémédiablement.

Quelques classiques pour venir à bout des cas problèmes:

▶ Café. Épongez puis rincez à fond à l'eau froide. Si le vêtement est lavable, faites tremper dans l'eau froide, puis frottez la tache avec une vieille brosse à dents enduite d'une pâte faite de détersif et d'un peu d'eau. Lavez ensuite. Vous arriverez au même résultat en frottant le détersif avec vos mains, mais avec une brosse à dents, vous garderez vos mains plus douces.

▶ Cire. Ne touchez à rien et attendez que la cire durcisse. Grattez avec un couteau puis repassez le vêtement au fer chaud, en le couvrant de papier brun, qui absorbera la cire. Si la teinture de la cire a taché le tissu, passez au détachant et laver en eau chaude.

▶ Gomme à mâcher. Le vieux truc que tout le monde connaît: placez le vêtement au congélateur quelques heures. La gomme à mâcher congelée craque comme du plastique et s'enlève comme un charme. Ensuite, détachant puis lavage régulier.

▶ Graisse (beurre, vinaigrette et ainsi de suite). Pressez la tache avec du papier absorbant sans attendre. Mettre une pesée (une boîte de conserve fait l'affaire) sur le papier si la tache est catastrophique et le tissu épais. Faites nettoyer à sec et si c'est lavable, passez au détachant, puis lavez à l'eau la plus chaude possible pour bien faire fondre le gras. Vérifiez, avant de le faire, si le tissu peut être lavé en eau chaude. Sinon, lavez à l'eau froide, c'est mieux que rien.

▶ Peinture. À l'huile: si elle n'est pas encore sèche, il y a de l'espoir. Sinon, oubliez ça. Imbibez la tache de solvant pour peinture à l'huile, épongez. Une fois le gros pigment disparu, frottez la tache avec une vieille brosse à dents enduite d'une pâte faite de détersif et d'un peu d'eau. Lavez ensuite.

Au latex: Épongez le plus possible, puis plongez le vêtement dans l'eau froide additionnée d'un peu de détersif. Brossez au besoin. Appliquez un détachant puis lavez comme d'habitude. Si le vêtement n'est pas lavable, épongez le plus possible et priez pour qu'un miracle se produise chez le nettoyeur du coin.

▶ Vin. Si le vêtement est lavable et que vous êtes à la maison quand ça se produit, laissez le sel sur la table. Courez vite vous changer et placez le vêtement dans l'eau froide, sans savon, pour la nuit. Dormez tranquille et le lendemain, vaporisez de détachant et lavez à l'eau froide. Si le vêtement n'est pas lavable, épongez et salez généreusement, puis confiez le tout au nettoyeur le plus tôt possible.

Tailleurs

Faites toujours nettoyer toutes ces composantes ensemble. Si le tissu change de couleur, toutes changeront de la même façon au même moment.

Tricots

▶ Coton: Ne pas le suspendre parce qu'il s'étirera, transformant votre pull en minirobe.

▶ Lainage: Le cycle délicat peut toujours aller, mais la sécheuse, jamais. Faites toujours sécher les tricots à l'air ambiant, à plat.

▶ Polyester ou autre synthétique: La sécheuse finira par les déformer, mais si vous ne pouvez vous en passer... Le polyester craint le repassage, surtout avec un fer chaud. Préférez la vapeur.

V

Valises

L'espace de rangement est une denrée rare? Utilisez vos valises (surtout les rigides, elles prennent tellement d'espace) pour ranger les chaussures ou les vêtements infroissables hors-saison.

Velours

Version *stretch*, on peut le laver en machine à l'eau froide puis le laisser quelques minutes à la sécheuse, à air tiède, pour le défroisser. Classique, le velours se nettoie à sec. Pour l'un et l'autre, le moins de repassage possible. Effleurez plutôt le tissu avec le fer en y projetant de la vapeur. Dans les cas extrêmes, repassez au fer tiède et à l'envers.

Vinaigre

Avant l'arrivée des additifs de rinçage et des feuilles pour la sécheuse, beaucoup de nos mères ont versé du vinaigre blanc dans la laveuse au cycle de rinçage. Il déloge complètement les résidus de savon qui peuvent demeurer sur les vêtements, ternir les couleurs et faire jaunir le blanc. 60 ml (1/4 de tasse) par brassée suffit. Et ça ne sent rien, rassurez-vous.

16.

Des créateurs à connaître

Survol de quelques *grands noms* de la mode *d'ici*

L es designers québécois, du moins ceux d'après Marielle Fleury, Chevalier, Robichaud et quelques autres, ont longtemps été perçus comme un tout, un ensemble homogène qui faisait dire à certaines élégantes, il y a 15 ou 20 ans: «Moi, je porte du designer québécois.» Il ne faut pas s'en surprendre. À cette époque-là, c'était la même chose du côté de la musique et de bien d'autres choses: le «Québécois» était un immense fourre-tout quelque part entre le poncho, la guitare sèche, le fleurdelisé et le châle à franges.

Aujourd'hui, heureusement, la mode a cessé ses introspections pour se tourner vers le monde. On trouve maintenant, du côté des signatures d'ici, de quoi se vêtir de la tête aux pieds.

J'ai réuni dans les pages qui suivent l'essentiel des designers de vêtements les plus connus en mode féminine. Il en existe plusieurs autres qui se spécialisent en bijoux et en chapeaux, en mode pour hommes ou pour enfants.

Jean Airoldi

Si ce qu'il propose dans ses défilés est complètement fou, ce qu'il offre en boutique l'est beaucoup moins. Tout le monde se souvient de sa robe «chaussette», en tricot gris chiné comme des chaussettes de bûcheron, qu'un manufacturier lui a fait l'hommage de copier.

Hélène Barbeau

Joviale, assurée et bien dans sa peau, la femme Barbeau ressemble à celle qui signe les vêtements qu'elle porte. Des manteaux qui ont du mouvement, des tailleurs parfaits qui oscillent entre le chic et le *sportswear* et surtout, des robes adorables qu'on voudrait enfiler tous les jours.

Angela Bucaro

D'abord remarquée pour ses réversibles, Angela Bucaro offre aujourd'hui des tricots splendides et des vêtements simples dans leur coupe, mais qui ont fait l'objet d'une recherche remarquable côté matières. Touche-à-tout, elle a aussi signé des uniformes d'infirmières et des fourrures.

Line Bussières, pour Par Apparat

Sous la griffe Par Apparat, Line Bussières, de Québec, propose des vêtements qui «ont de l'histoire», empruntant leurs détails aux vêtements d'autrefois. Elle signe une collection pour hommes et une autre pour femmes.

Ariane Carle

C'est Aline Desjardins, à l'émission *Femme d'aujourd'hui*, qui, la première, m'a fait découvrir cette créatrice de mode, qui signait *Les tricots d'Ariane*, à une époque où j'avais les mains encore trop petites pour tricoter. Mme Carle offre aujourd'hui des robes merveilleusement simples pour le soir et une mode bohème et élégante qui aura toujours du charme.

Lino Catalano

D'abord sous la griffe *Sabotage,* ce bel Italien en avait séduit plus d'une avec ses manteaux et ses redingotes bien coupés. Il est épaulé aujourd'hui par *Fashion Société Design* et propose une mode à l'italienne, nette et attrayante pour toutes.

Denis Champagne

Un vrai *bum* de bonne famille, qui dessine des costumes à rayures tennis comme en portait Lee Van Cleef dans ces westerns pleins de brume. A habillé Éric Lapointe, Christophe Lambert et quelques autres et dessine des tailleurs androgynes semblables pour les femmes.

Christian Chenail, pour Muse

L'un des premiers, avec Marie Saint-Pierre, à avoir pignon rue St-Denis, Christian Chenail a fondé Muse avec Johanne Demers. Seul à la barre aujourd'hui, il signe des vêtements qui ont l'immense avantage d'être en même temps féminins, confortables, distinctifs et pas coincés du tout.

Hélène de Grandpré

L'une des seules créatrices de mode au Québec à faire de la haute couture. Elle a signé les robes de mariée de plusieurs filles de grandes familles d'ici et ses robes du soir sont mémorables. Mme de Grandpré produit aussi chaque année une petite collection de prêt-à-porter.

Michel Desjardins

Destiné à une carrière en architecture, il a heureusement préféré celle des vestes à celle de édifices. Sage décision. Depuis dix ans, Michel Desjardins propose une mode d'un raffinement et d'une simplicité qui le distingue, et qui rend tout ce qu'il fait absolument indémodable.

Marie Dooley

Marie Dooley, avec quelques autres, est parmi les figures de proue de la mode de la Vieille Capitale. Les Québécoises ont adopté ses manteaux et ses tailleurs et surtout ses jolies robes, parfaites pour déambuler sur la terrasse Dufferin en été.

Louise Falardeau, pour Falardo

D'abord infirmière, elle change de carrière très jeune pour se lancer à fond de train dans la création de vêtements en cuir et suède, un art dans lequel elle excelle toujours. Falardo offre aussi des vêtements en tissu et d'autres qui marient cuir et textiles.

Gordon Iaconetti

Sa belle boutique de la rue Crescent, fréquentée depuis les débuts par bien des stars et des gens en vue, a déjà offert, en plus de ses créations, des chaussures fabuleuses et le meilleur des créateurs d'ici. Le bel espace se consacre maintenant aux créations modernes, nettes et superbement italiennes de Iaconetti. Ses tailleurs, très réussis, offrent le chic méditerranéen à prix montréalais.

Patricia Francisque, pour Nous Art

Dans le milieu de la mode, on l'a connue comme cosignatrice de *Vénéré*. Sous la griffe Nous Art, elle signe aujourd'hui des créations dynamiques et adorables, d'une élégance qui a juste ce qu'il faut de folie. On lui a même commandé un costume pour Barbie!

Chantal Levesque, pour Shan

Pour la plage et tout autour, Shan est la griffe la plus aimée et la plus portée par les Québécoises, par de plus en plus d'Américaines et, plus récemment, par des Françaises, des Suisses, des Espagnoles et des sirènes de partout au monde.

Georges Lévesque

Depuis bien au-delà de dix ans, Georges Lévesque nous propose des robes qui ont tout ce qu'on aime: du charme et du style, un côté à la fois mystérieux, innocent et féminin. Uniques et indémodables, ses créations ont gagné le coeur de plus d'une jolie femme, de Carole Laure à Marina Orsini.

Jean-François Morrissette

Peu d'artisans de la fourrure aiment leur matière comme ce designer de Québec, qui a son atelier à Saint-Romuald. En plus de créer ses propres modèles, Morrissette redessine et remodèle les manteaux de ses clientes, qui sont, une fois terminés, autant de petits miracles.

Marisa Minicucci

Grande dame du tailleur, de la robe chic et de l'élégance urbaine qui a du chien, Marisa Minicucci propose une mode classique qui est tout sauf ennuyante. Auparavant directrice de collection pour la regrettée maison Irving Samuel, elle a un talent remarquable pour assaisonner de nouveauté ce qui gagne à l'être.

Jean-Claude Poitras

Inutile de raconter la vie du plus connu des designers d'ici. Jean-Claude Poitras, aujourd'hui, offre la collection *Bof!*, à prix démocratiques, en plus de sa griffe, toujours aussi juste et à-propos. Il est aujourd'hui partenaire d'Arthur Sanft dans l'entreprise Fashion Société Design.

Hilary Radley

On l'a surnommée maintes fois la reine du manteau et avec raison. Designer à succès, ses créations sont offertes dans tout bon magasin de manteaux digne de ce nom. À travers le continent, nombreuses sont les élégantes qui en ont fait leur alliée pour se tenir au chaud dès octobre.

Marie Saint-Pierre

Preuve que la mode sait aussi être un art, les créations de Marie Saint-Pierre sont, plusieurs le disent, l'incarnation même de la poésie adaptée au monde moderne. Marie Saint-Pierre s'est fait connaître avec ses plissés et ses cols travaillés et elle axe de plus en plus son travail vers une recherche poussée côté matières.

Serge et Réal

Grands noms du prêt-à-porter de très haut de gamme, ce duo de designers trouve sa place depuis des années dans la garde-robe de plusieurs grandes dames d'ici. On veut des noms? Ils hésitent toujours à en donner, mais on sait que des élégantes de la trempe de la regrettée Jeanne Sauvé, que Lise Watier et Monique Mercure ont déjà été vues entrant dans leur boutique de l'avenue Greene.

Lyse Spénard

Des tricots dont on ne se lasse pas, du *sportswear* intelligent et facile à coordonner, des vêtements d'extérieur qui aiment voyager: Lyse Spénard, depuis nombre d'années, s'est imposée comme une figure importante de l'élégance version sport sur le continent. Elle est aussi l'une des seules à signer une collection de vêtements pour le golf.

Nadya Toto

À 19 ans, elle fait les pages des magazines avec un petit groupe de manteaux et aujourd'hui, elle signe des tailleurs et des robes pour la jeune femme de carrière, ainsi que des tricots qui mettent en vedette des matières recherchées.

Avi Tenzer

Ancien dessinateur au Château, il a eu son réseau de boutiques, B.A.C.C., dont plusieurs ont pleuré sincèrement la fermeture. Il couple aujourd'hui les contrats pour de grandes chaînes de magasins à la création de collections géniales, malheureusement peu diffusées.

MOINS CONNUS, MAIS À CONNAÎTRE

Claudine Auger pour design FTI

Mme Auger signe une mode épatante en tailles 14 à 30 et confectionne aussi sur mesure.

Odette Dufour, Sandra Corneau pour Ode & San

Une griffe encore jeune qui crée des manteaux «transformables» qui, ma foi, n'ont rien de l'habituel côté compliqué qu'ont de tels vêtements.

Louise Daoust pour Lili-les-bains

Des maillots sur mesure pour toutes celles qui sont trop menues, trop longues, trop grandes ou trop dodues pour les modèles à large diffusion.

Tanya de Luca

Cette jeune femme de Laval compte des centaines de clientes fidèles, organise des défilés somptueux et possède un talent certain pour les vêtements raffinés et les robes du soir.

Mariouche Gagné pour Harricana

Mariouche Gagné signe de splendides accessoires en fourrure recyclée. Âgée de moins de 30 ans, elle exporte en Europe et partout sur le continent.

Hélène Genest pour Grand'heur

Belle comme un mannequin (elle en a d'ailleurs la taille) Hélène Genest offre une mode adaptée aux grandes de ce monde. Ingénieux et réussi.

Julie Lefebvre pour C.A.L.I.C.O.

Un succès qui a débuté avec des vêtements en fibres recyclées, et qui se poursuit avec une gamme de vêtements en chanvre qui fait beaucoup jaser.

Martine Lemieux pour Junk

Elle a signé des costumes de troupes de ballet, de la maille parfaite pour les rappeuses et elle a toujours affectionné le confort du *stretch* bien moulant. Une mode dynamique, jeune, sexy et urbaine.

Leila Ligougne et Alex Tessier pour Les Sans-culottes

Ce duo de jeunes stylistes dans le vent, de Québec, offre une mode éclatée à base de synthétiques et de matières étonnantes.

Véronique Miljkovitch

Lauréate de plusieurs concours «jeunes créateurs», Véronique excelle dans le travail des peaux et des fourrures. Ses créations sont vendues au Canada et à l'étranger.

Hoang Nguyen

D'origine orientale, cette jeune créatrice de la ville de Québec offre une mode qui lui ressemble et qui fait le pont entre ses racines vietnamiennes et québécoises.

Dominique Ouzilleau

Passionné de fourrures, il est pratiquement tombé dedans quand il était petit. Supervisé par les meilleurs artisans, il a coupé ses premières peaux à l'âge de 15 ans... il y a maintenant presque 15 ans.

Carla Wax pour Joan of Ark

Jeune, inventive, Carla signe une mode urbaine dans la lignée de Parasuco et d'autres grands noms du *sportswear* nouvelle vague.

17.

L'élégance à votre mesure

Tableaux *des tailles* et équivalents *internationaux*

CHAPEAUX

▶ **Pour prendre vos mesures**
Mesurez le tour de tête juste en haut des sourcils.

TAILLE	Petit		Moyen		Grand		T-Grand	
	6	7	$7\frac{1}{8}$	$7\frac{1}{4}$	$7\frac{3}{8}$	$7\frac{1}{2}$	$7\frac{5}{8}$	$7\frac{3}{4}$
TOUR DE TÊTE (cm)	54	55	56	57	58	59	60	61

SOUTIENS-GORGE

▶ **Pour prendre vos mesures**

Sans serrer, mesurez le tour de votre cage thoracique, sous les seins. Faites-le en pouces — nos tailles de soutiens-gorge sont encore en mesures impériales —, et additionnez 5 au nombre obtenu. Le total est votre taille de soutien-gorge. Ensuite, mesurez votre tour de poitrine à la hauteur des mamelons et soustrayez ce nombre de la première mesure que vous avez prise.

Par exemple: Sous la poitrine, vous mesurez 31. 31 plus 5, c'est 36. Vous faites du 36.

Mesure à la hauteur des mamelons: 39. 39 — 36 = 3. Avec ce chiffre, vous déterminerez la profondeur des bonnets de votre soutien-gorge, en vous basant sur le tableau qui suit:

Différence en pouces	Bonnet
1	A
2	B
3	C
4	D
5	DD

GANTS

▶ **Pour prendre vos mesures**

La taille des gants est la mesure en pouces de la portion la plus large de votre main, autour des jointures, sans inclure le pouce.

COSTUMES ET ROBES

TAILLE	4	6	8	10	12	14	16	18	20
Poitrine	32	33	34	35	36,5	38	39,5	41	42
Taille	25	25,5	26,5	27,5	29	30,5	32	33,5	35
Hanches	35	35,5	36,5	37,5	39	40,5	42	43,5	45

Équivalents étrangers

Canada	6	8	10	12	14	16	18	20
France Espagne et Portugal	36	38	40	42	44	46	48	50
Italie	38	40	42	44	46	48	50	52
Allemagne Pays-Bas et Scandinavie	34	36	38	40	42	44	46	48
Grande-Bretagne	8	10	12	14	16	18	20	22
Japon	9	11	13					

MAILLOTS DE BAIN

Mêmes tailles que les précédentes.

▶ Pour mesurer votre longueur

Placez le galon au milieu de l'épaule, descendez-le en touchant au mamelon, passez-le entre les jambes puis au dos avant de le faire revenir au point de départ.

TAILLE	4	6	8	10	12	14	16	18	20
Mesure du tronc (en po)									
Maillot régulier	58	58,5	59,75	60	61	62	63	64	65
Maillot plus long	60,5	61	61,75	62,5	63,5	64,5	65,5	66,5	67,5

CHAUSSURES

Équivalents étrangers

Canada	4	4,5	5	5,5	6	6,5	7	7,5	8	8,5	9	9,5	10
Europe	35	35,5	36	36,5	37	37,5	38	38,5	39	39,5	40	40,5	41
Grande-Bretagne	2,5	3	3,5	4	4,5	5	5,5	6	6,5	7	7,5	8	8,5
Japon	21,5	22	23	23,5	24	24,5	25						

18.

Carnet d'adresses

Un carnet
très, très complet
pour tout *trouver*

Avec ce carnet d'adresses, mon objectif n'est pas de présenter les commerces qui suivent comme étant les meilleurs. Je les ai simplement choisis parce qu'ils offrent un excellent choix ou un rapport qualité-prix digne de mention dans les catégories de vêtements et d'accessoires pour femmes où ils apparaissent. J'ai visité la grande majorité d'entre eux; quelques autres m'ont été refilés par des «sources sûres» à Montréal et en région.

Les signes de dollars apparaissant après chacune des adresses indiquent que ces détaillants offrent des produits à bas prix ou à prix d'escompte ($), à prix moyen ou moyen-élevé ($$) ou à prix élevé ($$$); je n'ai pas pu résister à la tentation de vous proposer aussi quelques endroits où vous risquez de faire des folies ($$$$).

Les boutiques et magasins ont été classés selon la catégorie de produits qui fait leur force, par ordre alphabétique. Il va sans dire que la majorité d'entre eux offrent plus d'une catégorie de produits. J'ai ajouté à ma liste quelques «solderies». Les heures d'ouverture souvent capricieuses de ces magasins devraient vous inciter à téléphoner avant de vous déplacer.

J'ai délibérément omis, à quelques exceptions près, les grandes chaînes de boutiques et de magasins, que vous connaissez par cœur comme moi. J'ai aussi ajouté quelques numéros de téléphone pour commander des vêtements par catalogue. Je tiens enfin à mentionner que mon choix d'adresses est uniquement basé sur des critères d'appréciation personnels. Il ne s'agit pas de publicité et aucun de ces commerces n'a eu à débourser quoi que ce soit pour apparaître ici.

BIJOUX

Agatha $$$
1054, av. Laurier Ouest, Outremont, (514) 272-9313
Aussi à Place Ste-Foy, (418) 658-6860

Abaca $$
38, rue Garneau, Québec, (418) 694-9761
Boutique du musée des Beaux-Arts de Montréal
1379, rue Sherbrooke Ouest, Montréal, (514) 285-1600

Cipan $$ $$$
390 A, rue Victoria, Montréal, (514) 489-5289

Giraffe $$
3997, rue St-Denis, Montréal, (514) 499-8436
Aussi au 11, Clarence Street, Ottawa, (613) 562-0284

L'Inédit $$
1104, rue Bernard Ouest, Outremont, (514) 495-4886

Kamikaze Curiosités $$
4156, rue St-Denis, Montréal, (514) 848-0728

Pier I $
Plusieurs succursales. Consultez l'annuaire de votre région

Preston $$$
Place Ville-Marie, Montréal, (514) 866-0860
Aussi au Centre Rockland, Ville Mont-Royal, (514) 344-1704

Un Monde $
4271, rue St-Denis, Montréal (514) 281-8461

Voyeur $$ $$$
3844, rue St-Denis, Montréal, (514) 288-6556

BOUTONS, PERLES, MERCERIE

Dressmaker's Ltd $$$
2186, Ste-Catherine Ouest, Montréal, (514) 935-7421

Emporium des perles de Montréal $
368, av. Victoria, Westmount, (514) 486-6425

Rix Rax $ $$
801, rue Gilford, Montréal, (514) 522-8971

The Sassy Bead Co. $$
11, William Street, Ottawa, (613) 562-2812
Aussi au 757, Bank Street, Ottawa, (613) 567-7886

CEINTURES

Enri Co (salle de montre) $ $$
555, rue Chabanel, local M-02, Montréal
(514) 381-3356
Ouvert de 9 h à 13 h les samedis seulement

Gap $$
Plusieurs succursales. Consultez l'annuaire de votre région

Holt Renfrew $$ $$$
1300, rue Sherbrooke Ouest, Montréal, (514) 842-5111
Également à Place Ste-Foy, Ste-Foy, (418) 656-6783,
au 240 rue Sparks à Ottawa, (613) 238-2200
et dans plusieurs autres villes canadiennes

La Baie $ $$ $$$
On trouve un choix impressionnant dans tous leurs maga-
sins et particulièrement celui du Carré Phillips, au centre-
ville de Montréal (514) 281-4422

Marie Modes $$
469, Ste-Catherine Ouest, Montréal, (514) 845-0497

Ogilvy $$ $$$
1307, rue Ste-Catherine Ouest, Montréal (514) 842-7711

CHAPEAUX

Bibi et Compagnie $$ $$$
40, rue Garneau, Québec, (418) 694-0045

Chapofolie $$ $$$
3944, rue St-Denis, Montréal, (514) 982-0036

Fourrures Luna $$$
1449, rue St-Alexandre, local 900, Montréal
(514) 844-9863

Geneviève Dostaler $$
110, rue Laurier Ouest, Montréal, (514) 270-0511

Klayrine Cormier $$
763, rue Marie-Anne Est, Montréal, (514) 526-6010

Le Sieur Duluth $
4107, rue St-Denis, Montréal, (514) 843-8017

Rachelle Beaulieu $$ $$$
583, rue St-Jean, Québec, (418) 529-9249

Melon Melon $$ $$$
502, rue Duluth, Montréal, (514) 843-8017

CHAUSSURES

Armando $
584, rue Charleroi, Montréal-Nord, (514) 322-4223.
Aussi au 321, rue Lawrence à Greenfield Park, (514) 672-0671

Bellini $$$
1119, rue Ste-Catherine Ouest, (514) 288-6144

Browns $$ $$$
Plusieurs succursales. Consultez l'annuaire de votre région

Chou chou Bis $$
4886, rue Sherbrooke Ouest, Westmount,
(514) 488-0009

Felix Brown $$$$
Westmount Square, Westmount (514) 989-8873
Également au Centre Rockland, à Ville Mont-Royal,
(514) 341-9344
et au 1233, rue Ste-Catherine Ouest, (514) 287-5523

Globo $
3204, rue Jean-Béraud, Laval (514) 681-4562

Jean-Paul Fortin $$$
Place Laurier, Ste-Foy, (514) 651-4952
Trois autres succursales dans la région de Québec

Malice $$$
1062, av. Laurier Ouest, Outremont, (514) 948-2738

Oggi $$$
Centre Rockland, Ville Mont-Royal, (514) 731-1022

Tony Pappas $$
1822, rue Mont-Royal Est, Montréal (514) 521-0820

COLLANTS, CHAUSSETTES

À toutes jambes $$
Centre commercial Les Rivières, Trois-Rivières,
(819) 372-9102

Au coin des bas $
807, rue Mont-Royal Est, Montréal, (514) 521-1631

Divine $$
1179, av. Bernard, Outremont, (514) 279-8911
Aussi au 1060, Laurier Ouest à Outremont (514) 278-9767
et au Complexe Desjardins, Montréal, (514) 843-8592

Sox Box $$
1357, av. Greene, Westmount, (514) 931-4980
Aussi au 204, av. Laurier Ouest, Outremont, (514) 279-5489

CRÉATEURS QUÉBÉCOIS

Ariane Carle Design $$ $$$
364, boul. St-Joseph Ouest, Montréal, (514) 495-1075

Artefact Montréal $$
4117, rue St-Denis, Montréal (514) 842-2780

Autrefois Saïgon $$
55, boul. René-Lévesque Est, Québec, (418) 649-1227

Barbeau (Hélène Barbeau) $$$
3416, av. du Parc, Montréal, (514) 849-4010

Ça clique $$$
82, rue Wellington Nord, Sherbrooke, (819) 566-5955

C.A.L.I.C.O. $$
4367, rue St-Denis, Montréal, (514) 282-6666

Falardo $$ $$$
26, boul. René-Lévesque Est, Québec, (418) 649-0739

Fourrures Jean-François Morissette $$$ $$$$
(Georges A. Roy inc.)
16 av. Bégin Lévis, (418) 837-5409

Grand'heur (Hélène Genest) $$$
4131, rue St-Denis, Montréal, (514) 284-5747

Groove $$ $$$
4001, rue St-Denis, Montréal, (514) 844-9005

Hervé Saint-Amour $$$
131, boul. St-Joseph, 2e étage (le premier est consacré aux hommes), Hull, (819) 770-5434

Il n'y a que deux (Gordon Iaconetti) $$$
1405, rue Crescent, Montréal, (514) 843-5665

Jeannine Julien (spécialisée en tailles plus) $$$
1330, rue Beaubien Est, Montréal, (514) 277-2779

L'Actuel féminin $$$
3, rue St-Jean- Baptiste, Belœil, (514) 467-0386

Les ateliers Par Apparat (Lise Bussières) $$$
345, rue Dorchester Sud, Québec, (418) 525-9457

Lucie Forest $$$
458, rue Notre-Dame, Repentigny, (514) 582-8787

Marie Allaire $$$
1588, rue Fleury Est, Montréal, (514) 384-4808

Marie Dooley Signature $$$
3B, boul. René-Lévesque Est, Québec, (418) 522-7597

Marie Saint-Pierre $$$
4455, rue St-Denis, Montréal, (514) 281-5547

Marjolaine $$$
97, rue St-Charles Ouest, Longueuil (514) 670-6595

Muse $$$
4467, rue St-Denis, Montréal, (514) 848-9493

Nous-Art (Patricia Francisque) $$$
4429, rue St-Denis, Montréal, (514) 281-1242

Pam-Pa $$ $$$
3809 rue St-Denis, Montréal, (514) 282-9388

Paris Cartier $$$
1180, rue Cartier, Québec, (418) 529-6083

Revenge $$ $$$
3852, rue St-Denis, Montréal, (514) 843-4379

Scandale (Georges Lévesque) $$$
3639, boul. St-Laurent, Montréal, (514) 842-4707

Ultravox $$$
135, rue Principale, Granby, (514) 372-3232

Yvandré $$$
562, av. Notre-Dame, St-Lambert, (514) 923-5211

Zero Neutre $$$
Centre Duvernay, Laval, (514) 664-1382

CUIRS ET SUÈDES

Akoury Cuirs $$
4500, ch. Chambly, Longueuil, (514) 443-1371

Atelier La Pomme $$
47, rue Sous-le-Fort, Québec, (418) 692-2875

Cuir International $$
915, rue King Ouest, Sherbrooke, (819) 564-1104

Cuirs Danier $$
Place Ville-Marie, Montréal, (514) 874-0472
Aussi au Centre Rockland, Ville Mont-Royal,
(514) 737-5293

Dimitri $
540, boul. Henri-Bourassa Est, Montréal, (514) 273-7942

Roots $$
Plusieurs succursales. Consultez l'annuaire de votre région

Schadillac Ranch $$
99, Clarence Street, Ottawa, (613) 562-1320

FOULARDS

Le Château $
Plusieurs succursales. Consultez l'annuaire de votre région

Fêt'Art $ $$
1109, Mont-Royal Est, Montréal, (514) 521-2873

Holt Renfrew $$ $$$ $$$$
1300, rue Sherbrooke Ouest, Montréal, (514) 842-5111
Également à Place Ste-Foy, Ste-Foy, (418) 656-6783,
au 240 rue Sparks à Ottawa, (613) 238-2200
et dans plusieurs autres villes canadiennes

Louis Vuitton chez Ogilvy $$$$
1307, rue Ste-Catherine Ouest, Montréal (514) 842-7711

Simons $$
Place Ste-Foy, (418) 692-3630
Aussi au 20, Côte-de-la-Fabrique, Québec, au même numéro

FOURRURES (vraies et fausses)

Desjardins Fourrures $$$$
325, boul. René-Lévesque Est, Montréal, (514) 288-4151

J.A. Robert $$$ $$$$
1084, rue King Ouest, Sherbrooke, (819) 562-4006

Laliberté $$$$
Mail Centre-ville, Québec, (418) 525-4841

Labelle Fourrures $$$$
6570, rue St-Hubert, Montréal, (514) 276-3701
Également au 2528, boul. Daniel-Johnson, Laval
(514) 686-1601

Mc Comber $$$$
402, boul. de Maisonneuve Ouest, Montréal
(514) 845-1167

Prémont Forgues $$$$
Place de la Cité, Ste-Foy, (418) 654-3660

Similitude $$
825, rue Mont-Royal Est, Montréal, (514) 521-8223

Sirbain $$ $$$
2675, rue Sherbrooke Est, Pointe-aux-Trembles
(514) 642-0022

FRIPERIES, CONSIGNATION

À Montréal, le secteur de la rue Mont-Royal Est, entre St-Denis et St-Laurent, est devenu «le quartier des friperies». J'ai volontairement omis de mentionner les noms de toutes les friperies qui s'y trouvent, pour me concentrer sur celles qui sont hors-circuit, à Montréal, à Québec et ailleurs.

Chez Manou (maternité et enfants) $ $$
896, rue Belvédère Sud, Sherbrooke, (819) 823-0281

Delphine (tailles plus)
326A, rue Victoria, Westmount, (514) 481-2897

Drags $$
367, rue St-Paul Est, Montréal, (514) 866-0631

Incognito $$
1118, av. Laurier Ouest, Outremont, (514) 278-7334

Julie et Benjamin (maternité et enfants) $$
1351, av. Van Horne, Outremont, (514) 277-0304

La chienne à Jacques $
835, Côte d'Abraham, Québec, (418) 519-4137

La ligue $$
386 Victoria, Westmount, (514) 488-8262

Rendez-vous à Rio $
3459, rue St-Denis, Montréal, (514) 842-1692

Requin Chagrin $
4430, rue St-Denis, Montréal, (418) 286-4321

Madame La Marquise $
227 B, rue St-Joseph, Québec, (418) 648-9785

Rose-Anne $$
1612, rue Sherbrooke Ouest, Montréal, (514) 935-7960

Sheilagh $$ $$$
346 A, rue Victoria, Westmount, (514) 484-8805

Via Mondo $$ $$$
1103, av. Laurier Ouest, Outremont, (514) 278-7334

Vox fripes $
228, rue St-Joseph Est, Québec, (418) 648-2304

JEANS ET SPORTSWEAR

Blues on the green $$ $$$
1216, av. Greene, Westmount, (514) 938-9798

Esprit $$
Plusieurs succursales. Consultez l'annuaire de votre région

Guess The Store $$$
1227, rue Ste-Catherine Ouest, Montréal, (514) 499-9464

Jean Bleu $
Plusieurs succursales. Consultez l'annuaire de votre région

Juan et Juanita $$ $$$
Cours Mont-Royal Carrefour Laval

L'authentique magasin Levi's $$
Plusieurs succursales. Consultez l'annuaire de votre région.
Les magasins de Place Laurier (Ste-Foy) et de Place
Montréal Trust (Montréal) offrent le jean sur mesure pour
femmes.

Mexx $$$
1125, rue Ste-Catherine Ouest, Montréal, (514) 288-6399

Mousseline $$$ $$$$
1180, rue Ste-Catherine Ouest, Montréal, (514) 878-0661

Néon $$
4251, rue St-Denis, (514) 845-2013. Deux autres succur-
sales à Montréal et une à Québec

Passeport 2000 $$
4866 Sherbrooke Ouest, Montréal, (514) 481-2668
Aussi au 200, rue Principale à St-Sauveur, (514) 227-0330

Stef & Any $$ $$$
1011, av. Bernard Ouest, Outremont, (514) 270-1659

Stoopid $$
4321, rue St-Denis, Montréal, (514) 849-6048

Unique $
9400, boul. St-Laurent, bureau 100, Montréal
(514) 381-9964

LINGERIE, MAILLOTS, DESSOUS

Brise du Sud $$
4321, rue St-Denis, Montréal, (514) 845-6849

Collange
Westmount Square, (514) 933-4634
Aussi chez Ogilvy, 307, rue Ste-Catherine Ouest, Montréal
(514) 842-7711

Divine
Plusieurs adresses à Montréal. Consultez l'annuaire

Il Bolero $$ $$$
6842, rue St-Hubert, Montréal, (514) 270-6065

Les dessous de Victoria
466, rue Victoria, St-Lambert, (514) 466-0701

Lili-les-Bains $$$
Maillots sur mesure par la styliste Louise Daoust, en tailles
2 à 24, en bonnets A à DDD.
Sur rendez-vous au (514) 937-9197

Lingerie Rose-Marie $
5614, av. du Parc, Montréal (514) 272-0347

Lyla collection $$ $$$
1087, av. Laurier Ouest, Outremont, (514) 271-0763

Mme J. A. Bouré $$
7185, rue St-Denis, Montréal, (514) 279-2717

Renelle $$
Galeries Rive Nord, Repentigny (514) 581-6152

Rosa Bora $$
Place de la Cité, Ste-Foy, (418) 652-3610

Shan $$$
3265, Jean-Béraud, Laval, (514) 687-7101

LOCATION DE VÊTEMENTS

Elfe $$
5272, av. du Parc, Montréal, (514) 274-1401

Pour une soirée $$
4060, rue Ste-Catherine Ouest, bureau 850, Montréal, (514) 939-1706

Les costumes Habits qui rit $$
4010, rue Louis-Pinard, Trois-Rivières, (819) 372-3948

Location mode Brigitte $$
960, route 220, Ste-Élie-d'Orford, (819) 823-0667

MANTEAUX

5e Avenue $$ $$$
396, av. Laurier Ouest, Outremont, (514) 270-2022

Dalmys $$
Plusieurs succursales. Consultez l'annuaire de votre région ou composez le (514) 384-1030

Jos Robitaille $$$ $$$$
Place Ste-Foy, (418) 650-6185

La Maison Barakett $$ $$$
Centre commercial Les Rivières, Trois-Rivières
(819) 276-2664

Manteaux manteaux $$
Plusieurs succursales. Consultez l'annuaire de votre région
ou composez le (514) 344-5140

Studio 44 $$ $$$
Place du Royaume, Chicoutimi, (418) 549-6844

PAR CATALOGUE

Relance 1 800 463-1624
Sears 1 800 267-3277
Spiegel 1 800 345-4500
Victoria's Secret 1 800 888-8200
C & W (Clifford & Wills) 1 800 922-0114
J. Crew 1 800 331-5806
Bergdorf Goodman 1 800 967-3788
Bloomingdale's by Mail 1 800 777-0000

PLEIN AIR

Azimut $$ $$$
1781, rue St-Denis, Montréal, (514) 844-1717
Aussi au Carré Phillips, (514) 866-1616, à Laval et à Québec

L'Aventurier $$ $$$
1647, rue St-Denis, Montréal, (514) 849-4100
Aussi à Brossard, Chicoutimi, Laval et Québec

En Équilibre $$ $$$
2825, boul. de la Concorde Est, Laval, (514) 661-0571
Aussi à Montréal, St-Sauveur et Ottawa

Hiverna Direct $
Plusieurs succursales au Québec. Consultez l'annuaire de votre région ou composez le (514) 270-8470

Kanuk $$$
725, rue Rachel Est, Montréal, (514) 527-4494

La Cordée $$ $$$
2159, rue Ste-Catherine Est, Montréal (514) 524-1106

Latulippe $$
637, rue St-Vallier Ouest, Québec, (418) 529-0024

Le Marcheur $$ $$$
4062, rue St-Denis, Montréal (514) 842-3007

L'Équipeur $
Plusieurs succursales. Consultez l'annuaire de votre région

Le Travailleur Sportif $
Plaza de la Mauricie, Shawinigan (819) 539-1739
Dix autres magasins au Québec

Poule d'eau $$
1500, rue Notre-Dame, Trois-Rivières, (819) 372-0475

Timberland $$$
1329, rue Ste-Catherine Ouest, (514) 849-7172

PULLS ET CHEMISIERS

Benetton $$ $$$
Plusieurs succursales. Consultez l'annuaire de votre région

BCBG $$$$
1300, rue Ste-Catherine Ouest, Montréal, (514) 398-9130

Cactus $$ $$$
Centre Eaton, Montréal, (514) 499-8435
Plusieurs autres adresses à Montréal et en région

Club Monaco $$
Cours Mont-Royal, Montréal (514) 944-0959

Collection 24 $$$
1334, rue Fleury Est, Montréal, (514) 387-6712

Cornemuse $$$
Place de la Cité, Ste-Foy, (418) 656-6258
Aussi à Outremont, au 1061, av. Laurier Ouest
(514) 270-7701

Maison Édimbourg $$
Place Belle Cour, Ste-Foy, (418) 654-1611

Maple Creek Clothing Co. $$ $$$
97, Clarence Street, Ottawa, (613) 562-3388

Mosquito $$
1651, rue Ste-Catherine Ouest, Montréal, (514) 288-6839

Passion publique $$$
4075A, rue St-Denis, Montréal, (514) 849-2640

Polo Ralph Lauren $$$
1290, rue Sherbrooke Ouest, Montréal, (514) 288-3988

TAILLEURS

Anik $$$
334, rue Cumberland, Ottawa, (613) 241-2444
Aussi au 341, rue Notre-Dame à Gatineau
(819) 663-5015

Gigi $$ $$$
Plusieurs succursales. Consultez l'annuaire de votre région

Justicia $$$
40, rue Murray, Ottawa, (613) 562-3680

K.S. Boutique $$$
Chez Ogilvy, 1307, rue Ste-Catherine Ouest, Montréal
(514) 842-7711

Le Salon - Tristano Onofri $$$$
1470, rue Peel, local 450
Sur rendez-vous au (514) 282-1410

Marthe Camiré $$$
450, boul. Mortagne, Boucherville (514) 655-0847

MCX $$$
1328, rue Maguire, Sillery (418) 527-1100

O'Clan $$$
67 1/2, rue du Petit-Champlain, Québec (418) 692-1214

Studio Design Rose Catanzaro $ $$
111, av. Laurier Ouest, (514) 278-8885

Talbots $$ $$$
Centre Rockland, Ville Mont-Royal, (514) 344-9295
Aussi à Place Ste-Foy, Ste-Foy, (418) 656-4499
Plusieurs autres succursales au Canada

Teenflo $$$
1041, av. Laurier Ouest, Outremont, (514) 842-7711
Aussi chez Ogilvy, 1307, rue Ste-Catherine Ouest,
Montréal (514) 842-7711

ROBES

Avantage $
Centre d'achats Beaumont, 1264, rue Beaumont
(514) 733-1185

Carley's $
1818, rue Ste-Catherine Ouest, (514) 932-8973
Également au 351, av. Dorval à Dorval (514) 636-2526
au 255, Ste-Catherine Est, (514) 849-7425
Aussi: huit autres magasins dans la région d'Ottawa-Hull

Danielle Morali $$$
Place Ste-Foy, (418) 656-9141

La mode chez Rose $
570, rue Beaumont, Montréal, (514) 272-9000

Lyne Lespérance $$$
1402 Beaubien Est, Montréal, (514) 278-4292

Renée Riche $ $$
Place Brossard, Brossard, (514) 656-9411

Paradoxe $$$
Place du Saguenay, Chicoutimi (418)

ROBES DU SOIR

Boutique Peter Nygård, chez Ogilvy $$$
1307, rue Ste-Catherine Ouest, Montréal (514) 842-7711

Hugo Nicholson $$$$
Westmount Square, Westmount, (514) 937-1937

Serge et Réal $$$$
1359, av. Greene, Westmount, (514) 933-3600

Zivadinka $$$$
10, rue Rosemount, Westmount
Sur rendez-vous au (514) 939-0523

SACS À MAIN, BAGAGES

Access $ $$
Plusieurs succursales. Consultez l'annuaire de votre région

Fournier $$ $$$
Plusieurs succursales. Consultez l'annuaire de votre région

Jet-setter $$
99, rue Laurier Ouest, Montréal, (514) 271-5058

Les Magnifiques $$ $$$
Centre de commerce Mondial, Montréal (514) 281-7538

2949-9035 Co. $$ $$$
3526, boul. St-Laurent, Montréal, (514) 849-9759

Voyage avec moi $$ $$$
Centre Rockland, Ville Mont-Royal, (514) 739-7303
Également à Place Vertu, St-Laurent, (514) 333-7236

SOLDERIES ET SURPLUS

Centre de liquidation Yellow $
5551, boul. St-Laurent, Montréal, (514) 273-2994

Cohoes $
Plusieurs succursales. Consultez l'annuaire de votre région

Cuirs Alaska $
71, rue St-Viateur Est, Montréal, (514) 277-6259

Entrepôt Le Château $
5255, rue Jean-Talon Ouest, (514) 341-3965
Aussi: 3557, boul. Taschereau, St-Hubert, (514) 926-0499

Kadoch pour elle $
394, rue St-Jacques Ouest, Montréal, (514) 849-0087

La Lingerie $
7101, av. du Parc, 6e étage, (514) 274-5725

Le 13 de la rue, Solderie de la Rive-Sud $$ $$$
Il s'agit de la solderie de la chic boutique Yvandré.
13, rue Webster, angle Notre-Dame, St-Lambert
(514) 923-5213

Lyne Lespérance l'autre boutique $$ $$$
6551, rue Beaubien Est, Montréal, 253-0731

Solderie Aldo $
6664, rue St-Hubert, Montréal, (514) 272-1669

Solderie Marie-Claire $
8501, boul. Ray-Lawson, Anjou, (514) 354-0650

Village des valeurs $
Plusieurs succursales. Consultez l'annuaire de votre région

Winners $
Plusieurs succursales. Consultez l'annuaire de votre région